A-Z RICHMOND U[...]
KINGSTON UPO[...]

C000193812

CONTEN[...]

REFERENCE

Motorway	M4
A Road	A3
B Road	B358
Dual Carriageway	
One-way Street	➡
Traffic flow on A roads is indicated by a heavy line on the drivers' left.	
Large Scale Page Only	⇒
Junction Names	KEW GREEN
Restricted Access	
Pedestrianized Road	
Track & Footpath	
Residential Walkway	
Railway / Stations:	Tunnel / Level Crossing
National Rail Network	
Underground Station	⊖ is the registered trade mark of Transport for London
Croydon Tramlink	Tunnel Stop
The boarding of Tramlink trams at stops may be limited to a single direction, indicated by the arrow.	
Built-up Area	BOND RD.
Local Authority Boundary	— · — · —
Postcode Boundary	— — —
Map Continuation	14 Large Scale Town Centre 30

Car Park (selected) (on Large Scale Page only)	P
Church or Chapel	†
Fire Station	■
Hospital	H
House Numbers (A & B Roads only)	2 33
Information Centre	i
National Grid Reference	525
Police Station	▲
Post Office	★
Toilet (on Large Scale Page only)	▽
with Facilities for the Disabled	♿
Educational Establishment	
Hospital or Hospice	
Industrial Building	
Leisure or Recreational Facility	
Place of Interest	
Public Building	
Shopping Centre or Market	
Other Selected Buildings	

SCALE

Map Pages 4-29	Map Page 30
1:19000 3.33 inches to 1 mile	1:9500 6.67 inches to 1 mile
0 ¼ ½ Mile	0 ⅛ ¼ Mile
0 250 500 750 Metres	0 100 200 300 Metres
5.26cm to 1km 8.47cm to 1 mile	10.53 cm to 1km 16.94 cm to 1 mile

Geographers' A-Z Map Company Limited

Head Office :
Fairfield Road, Borough Green, Sevenoaks, Kent TN15 8PP
Tel: 01732 781000 (General Enquiries & Trade Sales)

Showrooms :
44 Gray's Inn Road, London WC1X 8HX
Tel: 020 7440 9500 (Retail Sales)
www.a-zmaps.co.uk

Ordnance Survey® This product includes mapping data licensed from Ordnance Survey® with the permission of the Controller of Her Majesty's Stationery Office.
© Crown Copyright 2001. Licence number 100017302
EDITION 3   2001   EDITION 3A   2002 (Part revision)
Copyright © Geographers' A-Z Map Co. Ltd.   2001

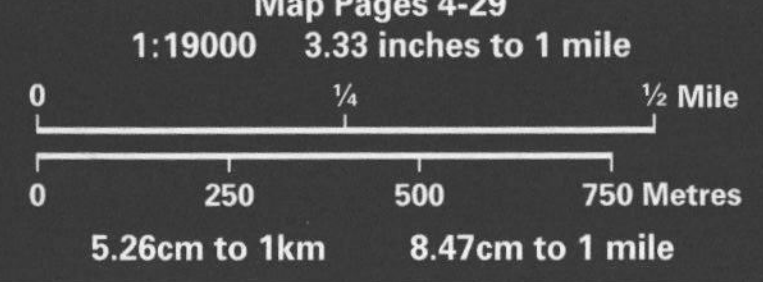

KEY TO MAP PAGES

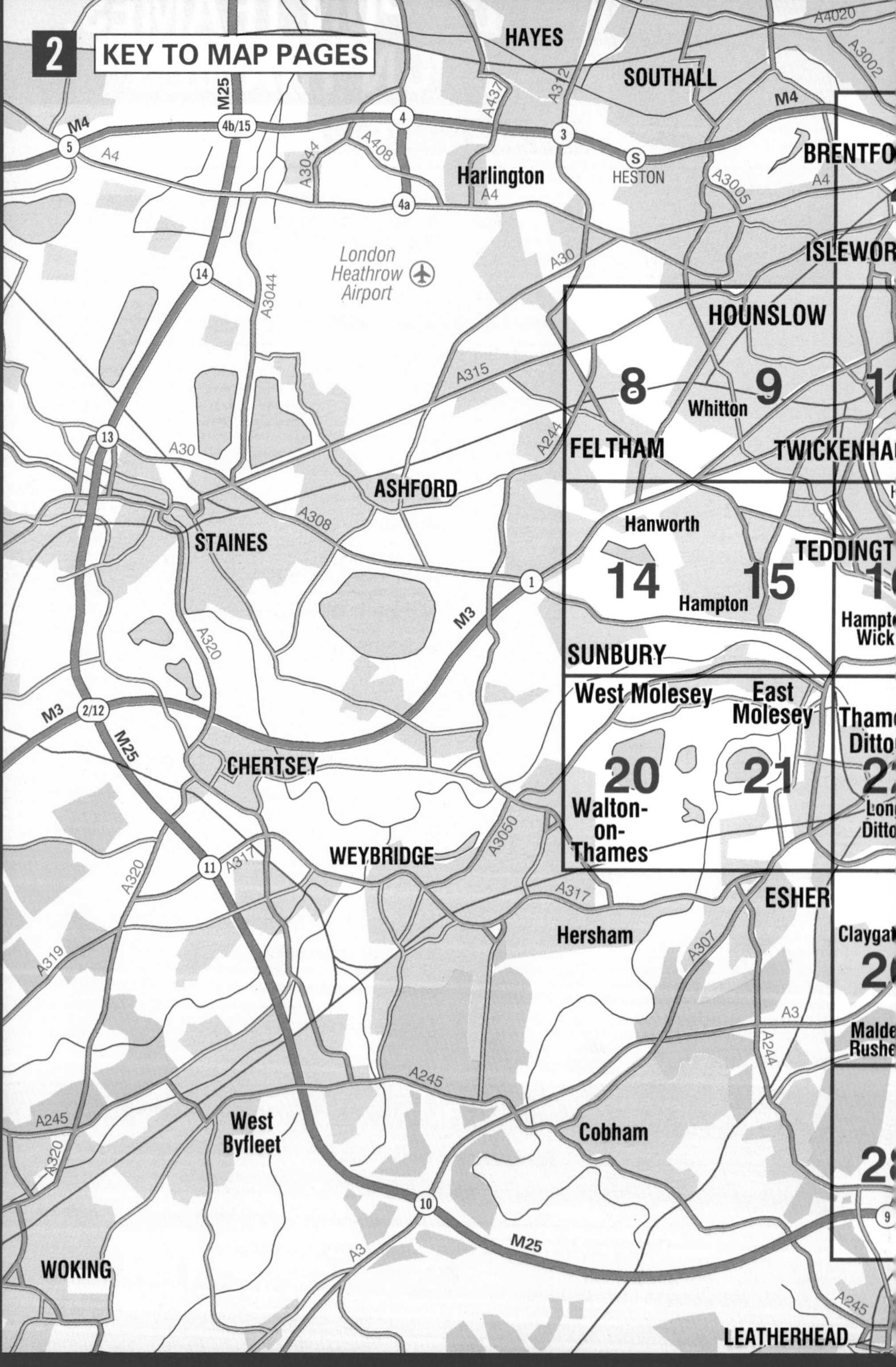

HAYES
SOUTHALL
M4
A4020
A3002
M25
4b/15
4
A437
A312
3
5
A4
A3044
A408
Harlington
A4
4a
HESTON
A3005
BRENTFO
A4
London
Heathrow
Airport
A30
ISLEWOR
14
A3044
HOUNSLOW
A315
8
9
Whitton
13
A30
A244
FELTHAM
TWICKENHA
ASHFORD
A308
STAINES
Hanworth
TEDDINGT
1
14
15
Hampton
Hampt
Wick
M3
A320
SUNBURY
West Molesey
East
Molesey
M3
2/12
Thame
Ditto
M25
CHERTSEY
20
21
Walton-
on-
Thames
A3050
A317
11
WEYBRIDGE
A320
A317
ESHER
Hersham
Claygat
A319
A307
A3
A244
Malde
Rushe
A245
A245
West
Byfleet
Cobham
A320
10
9
A3
M25
WOKING
A245
LEATHERHEAD

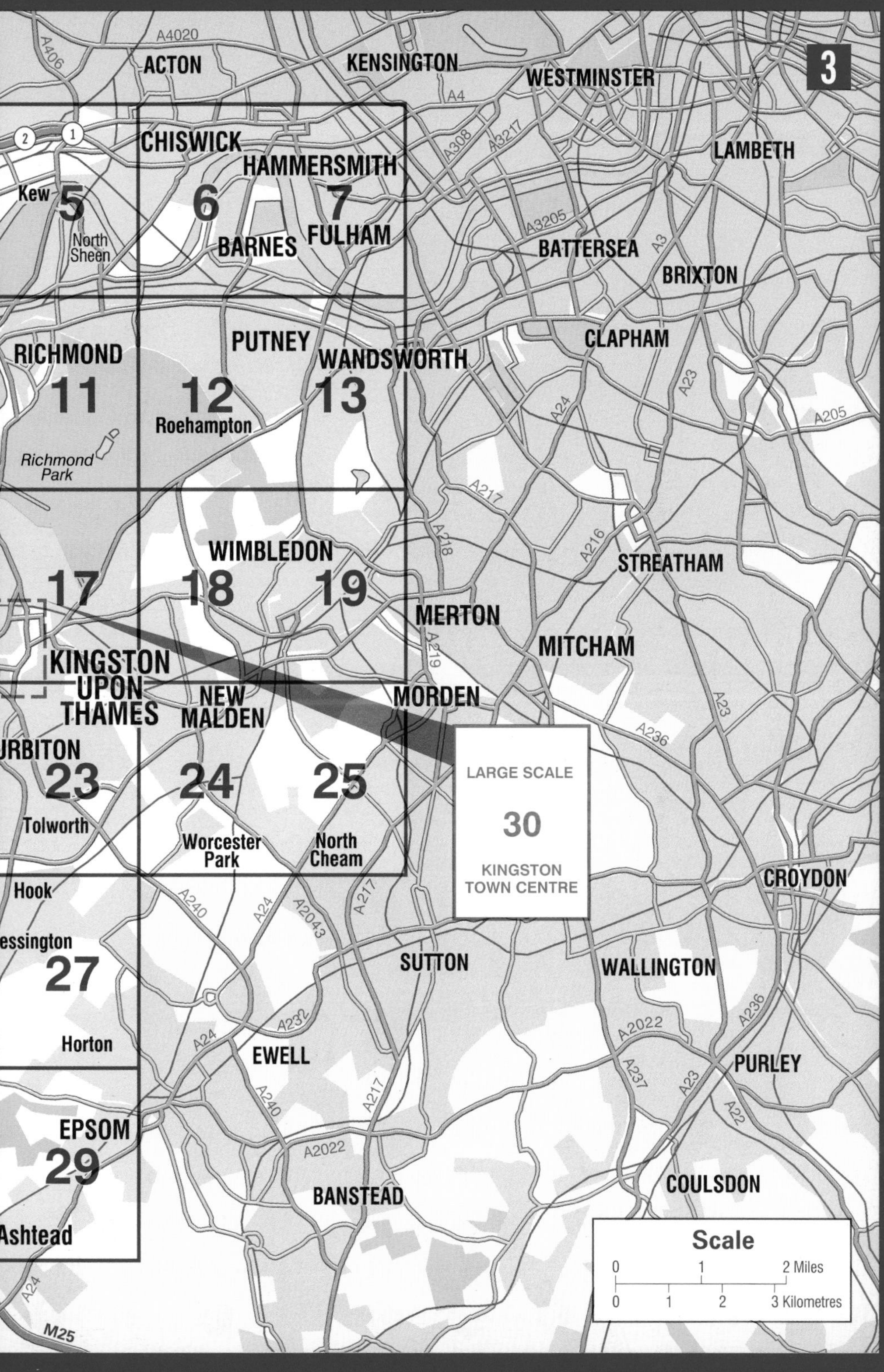
A4020
A406
ACTON
KENSINGTON
WESTMINSTER
A4
CHISWICK
A308
A3217
HAMMERSMITH
LAMBETH
Kew
5
6
7
North Sheen
BARNES
FULHAM
A3205
BATTERSEA
A3
BRIXTON
PUTNEY
CLAPHAM
RICHMOND
WANDSWORTH
11
12
13
Roehampton
A24
A23
A205
Richmond Park
A217
A218
A216
WIMBLEDON
STREATHAM
17
18
19
MERTON
MITCHAM
KINGSTON UPON THAMES
A219
NEW MALDEN
MORDEN
SURBITON
A236
23
24
25
LARGE SCALE
30
KINGSTON TOWN CENTRE
Tolworth
Worcester Park
North Cheam
A23
Hook
A240
A24
A2043
A217
CROYDON
Chessington
27
SUTTON
WALLINGTON
A232
A2022
A236
Horton
A24
EWELL
A237
A23
PURLEY
A240
A217
A22
EPSOM
29
A2022
BANSTEAD
COULSDON
Ashtead
Scale
0 1 2 Miles
0 1 2 3 Kilometres
A24
M25

4
A
B
C
D
E
W7
W13
W5
TW7
TW8
Northfields
Boston Manor
M4
M4 MOTORWAY
BOSTON MANOR ROAD
BOSTON ROAD
A3002
A4
A315
A310
A3004
B454
B455
B363
B452
Playing Field
Weir
Wincott Farm
Osterley Lock
Trumpers Wood
WYKE GREEN GOLF COURSE
Sports Ground
Club House
Centaurs Rugby Club
West Cross Cen.
Grand Union Canal
Grand Union Canal Warehouse
Gallows Bridge
Boston Manor Playing Field
Pavilion
Northfields Depot
Recreation Ground
Boston Manor House
Clitheroe's Lock
Boston Manor Park
River Brent
Gunnersbury R.C. Sch.
Brentford
BRENTFORD
BRENTFORD END
GREAT WEST ROAD
SYON LANE
WINDMILL LANE
WINDMILL ROAD
HALF ACRE
HIGH ROAD
LONDON ROAD
TWICKENHAM ROAD
SOUTH ST.
RICHMOND RD.
Gillette Cnr.
Syon Lane
Busch Corner
Syon Park Sch.
SYON PARK
Butterfly House
Syon Garden Centre
Syon House
DUKE OF NORTHUMBERLAND ESTATE
Brunel University
Running Track
SPRING GROVE
Isleworth
ISLEWORTH
Old Isleworth
Isleworth Ait
WEST MIDDLESEX UNIVERSITY HOSP.
Cemetery
Liby. & Isleworth Rec. Cen.
Nazareth Ho.
Isleworth Ferry Gate (Closed)
Conservation Area
Queen Charlotte's Cottage
King's Steps Gate
OLD DEER PARK
ROYAL MID-SURREY GOLF COURSE
King's Observatory
Royal Mid-Surrey Golf Club
Grand Stand
Tennis Courts
Swimming Baths
Obelisk
Old Deer Park Recreation Ground
Brentford Bridge
Brentwaters Business Park
Brentford Business Centre
Great West Trad. Est.
Brentside Executive Centre
Victory Business Centre
Waterside Business Centre
REDLEES PARK
Brunel Univ.
10

5
F
G
H
J
K
1
2
3
4
5
6
7
GUNNERSBURY PARK
Bowling Green
Boating Lake
Miniature Golf Course
Tennis Court
Refreshment Pavilion
Tennis Courts
Potomac (Fish Pond)
Factory
Carville Hall Park North
CLAYPONDS HOSP.
W3
GUNNERSBURY AV.
A406
Sports Ground
Bowls
Kensington Cemetery
ACTON GREEN
Works
GUNNERSBURY
CHISWICK PARK
Chiswick Pk.
Nature Res.
ACTON LA.
SOUTH
Acton Grn. Com.
Super-store
M4
M4 MOTORWAY
CHISWICK HIGH
A315
ROAD
HEATHFIELD TER.
HEATHFIELD RD.
Gunnersbury
CHISWICK RBT.
Fountain Leisure Cen.
KEW BRIDGE DISTRIBUTION CENTRE
WELLESLEY
Kew Bridge
Junc. 2
GT. WEST RD.
A4
Junc.1
CEDARS
RD.
ELLESMERE R.
A3000
GROSVENOR
HARVARD
BARROWGATE RD.
WAVENDON AV.
BURLINGTON
School
Musical Mus.
Steam Mus.
KEW BRIDGE
ST.
ROAD
A315
Waterman's Arts Centre
Brentford Ait
Docks
Library
Kew Pier
Strand on the Green
STRAND ON THE GRN.
THAMES
Oliver's Island
W4
CHISWICK
SUTTON
PARK
STAVELEY
Cricket Ground
9
Kew Palace
Kew Green
Main Gate
Kew Gardens Gallery
Alpine Ho.
KEW GREEN
KEW
Orangery
Bakery
Brentford Gate
Princess of Wales Conservatory
Seven Sisters
Plants & People Exhibition
Palm House
The Pond
Rose Garden
Visitor Centre
Victoria Ga.
Temple of Bellona
KEW
Azalea Garden
Bamboo Garden
ROYAL BOTANIC GARDENS
King William's Temple
Arboretum
GARDENS
Berberis Dell
Evolution House
Temperate House
Marianne North Gallery
Pagoda Vista
Cedar Vista
Pavilion Restaurant
Japanese Gateway & Landscape
Pagoda
Rugby Club
Lion Gate
Cricket Grd.
Bowling Green
KEW RD.
A205
MORTLAKE
A307
KEW ROAD
Public Record Office
Warehouse
RICHMOND-upon-THAMES
HOUNSLOW
RIVER
KEW RETAIL PARK
Kew Coll.
Kew Gds.
Lib.
SANDYCOMBE ROAD
B353
Playing Field
Recreation Ground
NORTH SHEEN
FULHAM (NORTH SHEEN) CEMETERY
CHALKER'S CORNER
Refuse Depot
Mortlake Crematorium
Hammersmith Cemetery
GROVE PARK
University of Westminster Sports Ground
Stadium
Yacht Basin
Sports Ground
Westminster Boathouse
Riverside
DUKE'S
Sports Ground
Tennis Courts
A316
GREAT CHERTSEY RD.
CHISWICK BRI.
CLIFFORD AV.
THAMES
MORTLAKE
SW14
Brewery
Sports Ground
RICHMOND
CLIFFORD
ROAD
A3003
Mortlake
KINGSWAY
LOWER RICHMOND
LOWER MORTLAKE RD.
MANOR RD.
MANOR CIRCUS
Depot
North Sheen
11
Holy Trinity C.E.Prim. Sch.
UP. RICHMOND
RICHMOND CIRCUS
SHEEN LANE
MILESTONE GRN.
Day Cen. & Lib.
OLD DEER PK.
CHRISTCHURCH FLATS

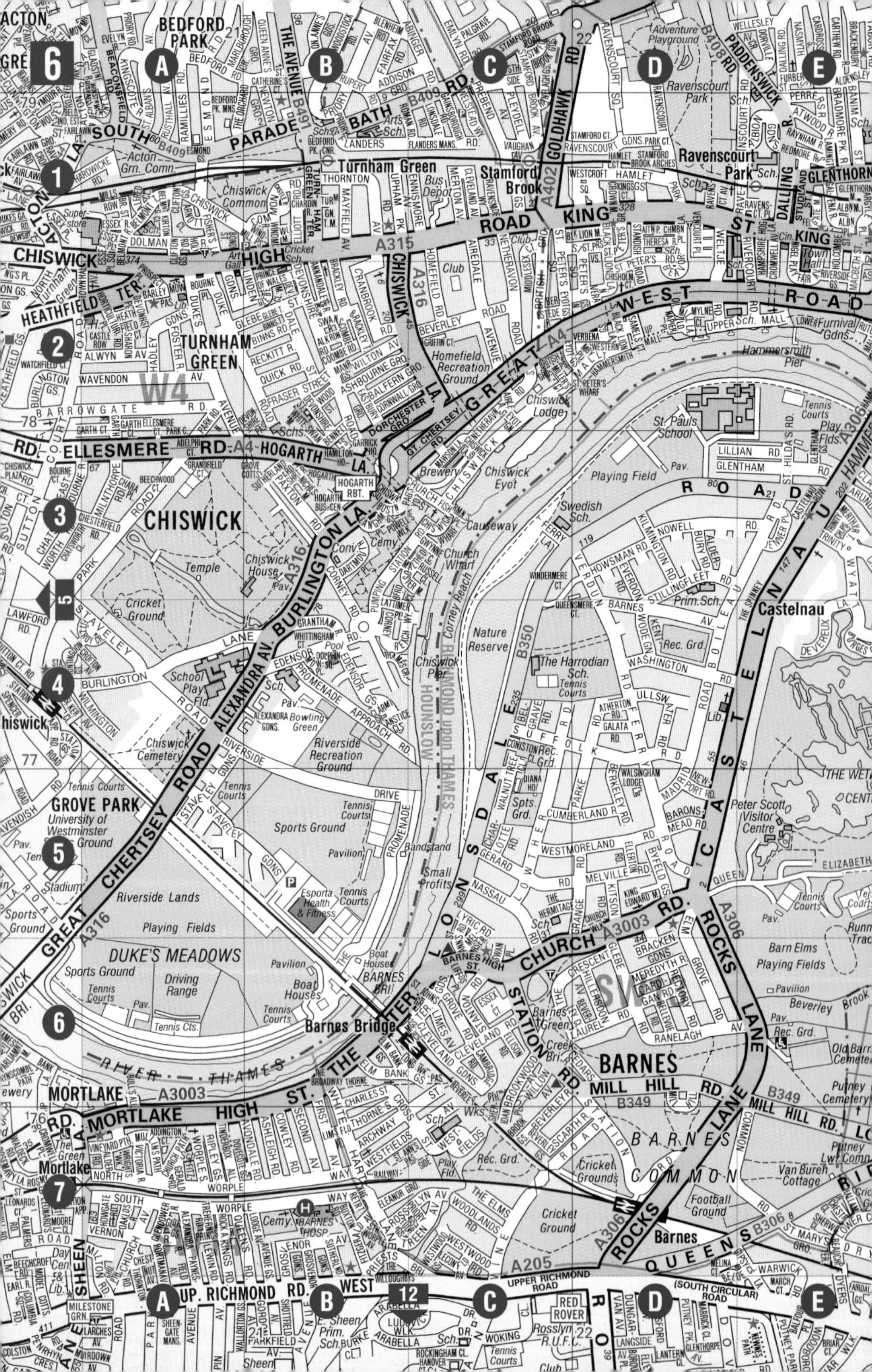

6
A
B
C
D
E
1
2
3
4
5
6
7
12
5
ACTON
BEDFORD PARK
BEDFORD RD.
THE AVENUE
B491
BATH RD.
B409
SOUTH PARADE
Acton Grn. Comn.
Turnham Green
Stamford Brook
Bus Depot
GOLDHAWK RD.
A402
Adventure Playground
Ravenscourt Park
PADDENSWICK RD.
B408
Ravenscourt Park
GLENTHORNE
KING ST.
Town Hall
Chiswick Common
CHISWICK HIGH ROAD
A315
CHISWICK LA.
A316
HEATHFIELD TER.
TURNHAM GREEN
W4
Homefield Recreation Ground
GREAT WEST ROAD
A4
Furnival Gdns.
Hammersmith Pier
BARROWGATE RD.
ELLESMERE RD.
HOGARTH LA.
HOGARTH RBT.
DORCHESTER GRO.
Chiswick Lodge
St. Pauls School
Playing Field
LILLIAN RD.
GLENTHAM
Brewery
Chiswick Eyot
Swedish Sch.
ROAD
CHISWICK
Temple
Chiswick House
BURLINGTON LA.
Cricket Ground
Church Wharf
Corney Reach
Nature Reserve
B350
The Harrodian Sch.
Castelnau
Rec. Grd.
Prim. Sch.
Lib.
School Play Fld.
ALEXANDRA AV.
Chiswick Cemetery
Riverside Recreation Ground
Chiswick Pier
HOUNSLOW
RICHMOND upon THAMES
GROVE PARK
University of Westminster Sports Ground
Stadium
Sports Ground
Tennis Courts
Sports Ground
Pavilion
Bandstand
Esporta Health & Fitness
Small Profits
Peter Scott Visitor Centre
THE WETLAND CENTRE
LONSDALE RD.
CASTELNAU
Riverside Lands
Playing Fields
DUKE'S MEADOWS
Driving Range
Boat Houses
Barnes Bridge
CHURCH RD.
A3003
ROCKS LANE
A306
Barn Elms Playing Fields
Beverley Brook
Old Barnes Cemetery
BARNES
MILL HILL RD.
B349
Putney Cemetery
RIVER THAMES
MORTLAKE
MORTLAKE HIGH ST.
Mortlake
BARNES COMMON
Cricket Grounds
Van Buren Cottage
Football Ground
Cricket Ground
Barnes
QUEENS RIDE
B306
A205
UPPER RICHMOND ROAD
(SOUTH CIRCULAR) ROAD
UP. RICHMOND RD. WEST
SHEEN LA.
BARNES HOSP.
Cemy.
RED ROVER
Rosslyn R.U.F.C.
E. Sheen Prim. Sch.

7
F
G
H
J
K
1
2
3
4
5
6
7
Kensington (Olympia)
Olympia
Hammersmith
Brook Green
WEST KENSINGTON
West Kensington
Barons Court
Hammersmith Cemetery
The Queen's Club
Earls Court
EARLS COURT
Earls Court Exhibition Building
EMPRESS STATE BUILDING
West Brompton
WEST BROMPTON
Brompton Cemetery
Brompton Park
Chelsea F.C.
Fulham Broadway
FULHAM BROADWAY
HAMMERSMITH
HAMMERSMITH FLYOVER
CHARING CROSS HOSP.
Normand Park
Fulham Cross Sch.
Fulham Cemetery
FULHAM
Eel Brook Common
WALHAM GREEN
Parsons Grn.
PARSONS GRN.
Fulham F.C. (Craven Cottage)
Blakes Wharves
Eternit Wharf
Stevenage Wharves
Boat House
Barn Elms Schools Sports Centre
Moat Garden
The Warren
Playground
Fulham Palace
BISHOP'S PARK
SIR WILLIAM POWELL'S ALMSHOUSES
HURLINGHAM PARK
Running Track
Tennis Courts
Hurlingham
The Hurlingham Club
Ckt. Grd.
Swim. Pool
SOUTH PARK
Putney Bri.
Putney Pier
RIVER THAMES
HAMMERSMITH and FULHAM
RICHMOND upon THAMES
WANDSWORTH
RICHMOND
PUTNEY
Hurlingham Wharf
Jetty
Jetties
WANDSWORTH PARK
HAMMERSMITH RD.
HAMMERSMITH FLYOVER
TALGARTH ROAD
WEST CROMWELL ROAD
CROMWELL ROAD
NORTH END ROAD
FULHAM PALACE ROAD
FULHAM ROAD
LILLIE ROAD
DAWES ROAD
KING'S ROAD
NEW KING'S ROAD
WANDSWORTH BRIDGE ROAD
FULHAM HIGH STREET
PUTNEY BRI. APP.
PUTNEY HIGH STREET
LOWER RICHMOND RD.
KENSINGTON HIGH ST.
WARWICK GDS.
EARLS COURT ROAD
OLD BROMPTON ROAD
HARWOOD RD.
STEVENAGE ROAD
CARNWATH ROAD
SHEPHERD'S BUSH RD.
A4
A219
A315
A3218
A3219
A3220
A304
A308
A217
B317
B306
SW6
13

8
A
B
C
D
E
1
2
3
4
5
6
7
14
HOUNSLOW WEST
HEATHROW CAUSEWAY CENTRE
HEATHROW INTERNATIONAL TRADING ESTATE
HEATHROW CORPORATE PARK
Rifle Range
Sports Ground
Cavalry Barracks
Playing Field
Prim. Sch.
Jun. Sch.
THE CAUSEWAY
A312
BEAVERS LANE
BARRACK LANE
HEATHDALE AV.
MARTINDALE RD.
CAMBRIDGE CL.
BOWNESS DR.
CRANBROOK RD.
WELLINGTON ROAD NORTH
HINTON AV.
CAVALRY CR.
CARDINGTON SQUARE
CORPORATION AV.
DUKES AV.
LAUREL GDS.
TIVOLI RD.
FIR TREE RD.
GLOUCESTER RD.
CONNAUGHT AV.
MIDSUMMER AV.
COBB'S RD.
ROSEHEATH RD.
MARSHALL CL.
NORFOLK GS.
BRAMPTON GS.
BERESFORD GS.
YEW TREE
AVONDALE
Training Centre
STEYNING WY.
LAWRENCE ESTATE
MAPLE GROVE BUS. CEN.
PULBOROUGH WY.
TAMIAN WY.
TAMIAN IND. EST.
AMBERLEY WY.
FREEHOLD INDUSTRIAL ESTATE
FAIRWAY CL.
CENTRAL PARK ESTATE
Heath Nurseries
TW4
Warehouse
Warehouses
GREEN MAN LA.
HERON WAY
RIVER GARDENS BUS. CEN.
NORTH FELTHAM TRADING ESTATE
Works
MERCURY CENTRE
FAGG'S RD.
A312
MILL WAY
GRIFFIN CEN.
STAINES ROAD
A315
Club Ho.
Baber Bridge
BABER BRI. CARAVAN SITE
Weir
HOUNSLOW HEATH GOLF COURSE
HOUNSLOW HEATH
NORTH FELTHAM
HARLINGTON ROAD WEST
LANSBURY AVENUE
ROMAN CL.
A244
BEESTON WAY
BABER DR.
TW14
VIOLA AVENUE
CARLTON AVENUE
SPARROW FARM DRIVE
CYGNET AVENUE
River Crane
Sch.
Play. Field
Jun. Sch.
Playing Field
DURHAM AV.
FARM CENTRAL PDE.
FINCH DR.
SPARROW FARM ROAD
CYGNET
HOWDEN HOUSE
GODFREY WAY
Hounslow Cemy.
Comm. Centre
HANWORTH ROAD
A314
MILL FARM BUSINESS PARK
South West Middlesex Crematorium
MILLFIELD RD.
CURTIS RD.
PEMBROKE AV.
CHESTER
GLASBROOK AV.
ALBEMARLE AV.
VILLIERS
Nature Reserve
ROSSLYN AV.
GLADSTONE AV.
BUCKINGHAM AV.
SHAFTESBURY
74
Feltham Arenas
Pav.
HELEN AVENUE
Feltham Park Hall
Bowl. Grn.
FERN GRO.
STATION ESTATE RD.
Longford River
BEDFONT
Feltham
HOUNSLOW RD.
HARLINGTON RD. EAST
HANWORTH RD.
B3377
UXBRIDGE ROAD
A312
Court Ho.
Offs.
GLOUCESTER RD.
HEREFORD RD.
NORFOLK RD.
Playing Field
BOUNDARIES RD.
ELTHORNE CT.
WIGLEY ROAD
WESTBURY RD.
PEVENSEY RD.
BEXHILL CL.
MARLBOROUGH RD.
AMESBURY RD.
EASTBOURNE
Jun. Sch.
Schs.
Bowl. Alley
LEISURE WEST
Cinema
Feltham Community College
Playing Field
Warehouse
FELTHAM BUSINESS COMPLEX
HIGH ST.
FELTHAM
73
Ordnance Depot
Pav. Sports Ground
FOREST ROAD
Works
Hanworth Park House
HANWORTH PARK
Tennis Courts
Feltham Airparcs Leisure Centre
Mount Corner
TW13
SUNNINGDALE AVENUE
CANTERBURY RD.
HAMPTON RD. WEST
HAMPTON FARM IND. ESTATE
School
HANWORTH TRAD. EST.
APEX RETAIL PARK
APEX CORNER
A316
COUNTRY WAY
MAPLE IND. EST.
FIVE WAYS BUS. CEN.
FELTHAMBROOK IND. EST.
FELTHAMBROOK WAY
PARKFIELD CR.
APRIL CL.
72
Croft Farm
CAMROSE AV.
FERNSIDE AV.
ELMGATE AV.
CLIFTON PDE.
AVENUE
CASTLE WAY
Hounslow College
HANWORTH
Castle (Rems.)
Moat
11
12
TUDOR CT.
PARK RD.
HOLLANDS
SWIFT RD.
Sch.
Fairlawn
Longford

HOUNSLOW
TW3
TW7
TW2
Hounslow
Maswell Park
INWOOD PARK
WHITTON
Whitton
Strawberry Hill
Fulwell
West Middlesex Drainage
Works
WORTON HALL INDUSTRIAL ESTATE
Queen's Bri.
Superstore
The Museum of Rugby
TWICKENHAM TRADING ESTATE
Twickenham Rugby Union Football Grd.
Royal Military Sch. of Music (Kneller Hall)
Sports Ground
Playing Field
Murray Park
Harlequins R.U.F.C. (Stoop Meml. Grd.)
Richmond upon Thames College
Play. Fld.
Depot
Kneller Gdns.
Twickenham Cemetery
Twickenham Green
Bridge Farm Nursery
Recreation Grd.
Heathfield Jun. & Inf. Schs.
HOSPITAL BRIDGE ROUNDABOUT
Hospital Bridge
River Crane
Fulwell Park
TWICKENHAM GOLF COURSE
FULWELL GOLF COURSE
STRAWBERRY HILL GOLF COURSE
St.James' R.C. Prim. Sch.
Stanley Jun.& Inf. Schs.
Waldegrave Sch. for Girls
Club House
Cemetery
RICHMOND upon THAMES
Duke of Northumberland's River
HOUNSLOW BUSINESS PARK
HEATH BUS. CEN.
WHITTON RD. R'BOUT
BATH RD.
GROVE RD.
STAINES ROAD
CHERTSEY ROAD
HOSPITAL BRIDGE ROAD
NELSON ROAD
KNELLER ROAD
WHITTON ROAD
HAMPTON ROAD
SIXTH CROSS ROAD
A315
A314
A316
A305
A311
B361
B358
F G H J K
2 3 4 5 6 7
10
15

ISLEWORTH
SOUTH ST.
A
B
C
D
E
4
17
Royal Mid-Surrey Golf Club
Grand Stand
Swimming Baths
Obelisk
Old Deer Park
Recreation Ground
Richmond Lock
TW7
REDLEES PARK
Liby. & Isleworth Rec. Cen.
West Middlesex Drainage Works
Brunel Univ.
ST. MARGARETS ROAD
TWICKENHAM ROAD
1
2
3
4
5
6
7
RICHMOND
Richmond Green
Asgill Ho.
Corporation Island
ST. MARGARETS
Pleasure Gdns.
THE AVENUE
A316
ROAD
ST. MARGARETS R'BOUT
LONDON RD. ROUNDABOUT
WHITTON RD. R'BOUT
CHERTSEY
WHITTON RD.
The Museum of Rugby
TWICKENHAM TRADING ESTATE
Superstore
MOGDEN
Twickenham Rugby Football Gd.
Cole Park
Moor Mead Gd.
St. Margarets
ST. MARGARETS
CROWN RD.
RICHMOND ROAD
A305
MARBLE HILL PARK
Marble Hill House
Works
Tennis Courts
Orleans Ho. Gallery
Riverside Ho.
Orleans Gdns.
Foot Ferry
RIVER THAMES
WARREN
Glover Island
Twickenham
LONDON ROAD
TW1
TW2
Playing Field
Richmond upon Thames College
A310
HEATH ROAD
A305
TWICKENHAM
Eel Pie Island
THE GREEN
CROSS DEEP
Radnor Gardens
Swan Island
Ham Riverside Lands
Nature Reserve
Wood
Thames Young Mariners Base
Ham Fields
Playing Field
Club
Tennis Cts.
Miniature Rifle Range
Ham House
Polo Ground
Sports Grd.
The German Sch., London
Strathmore Sch.
The Copse
TW10
Grey Court School
Ham Green
C.E. Prim. Sch.
HAM
Meadlands Prim.
Convent
HAM COMMON
Strawberry Hill
St. Mary's Strawberry Hill
STRAWBERRY HILL
WALDEGRAVE ROAD
A309
STRAWBERRY VALE
Cemetery
Newland Ho.Sch.
16
RIVERSIDE DRIVE
SANDY LANE
UP. HAM RD.

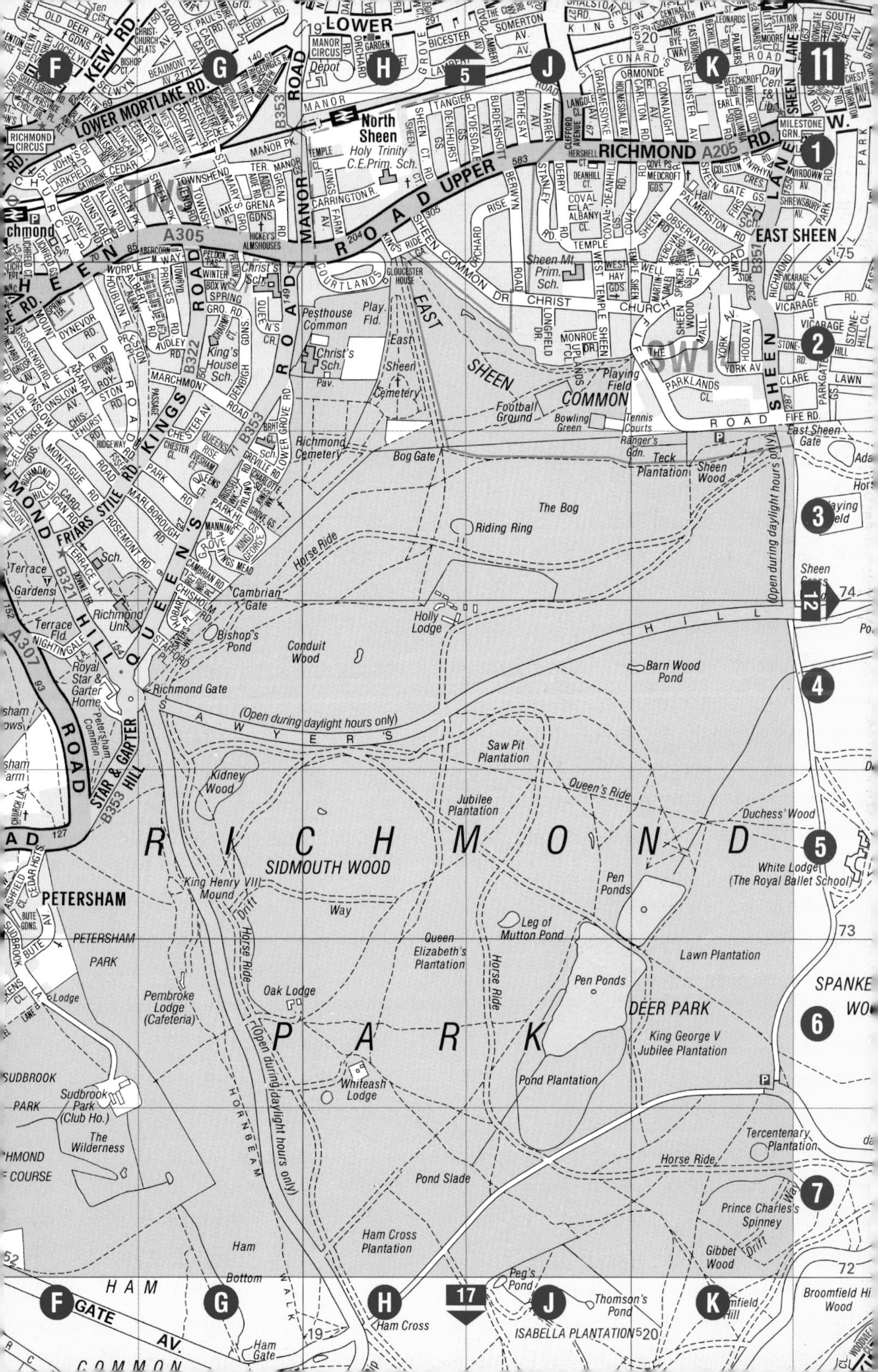

11
LOWER MORTLAKE RD.
KEW RD.
North Sheen
RICHMOND
UPPER RICHMOND ROAD
EAST SHEEN
SHEEN LANE
SHEEN COMMON
QUEEN'S ROAD
RICHMOND HILL
Richmond Cemetery
East Sheen Cemetery
Pesthouse Common
The Bog
Riding Ring
Horse Ride
Cambrian Gate
Holly Lodge
Bishop's Pond
Conduit Wood
Barn Wood Pond
Richmond Gate
SAWYER'S HILL
(Open during daylight hours only)
Saw Pit Plantation
Kidney Wood
Queen's Ride
Jubilee Plantation
Duchess' Wood
White Lodge (The Royal Ballet School)
RICHMOND PARK
SIDMOUTH WOOD
King Henry VIII Mound
PETERSHAM
Pen Ponds
Leg of Mutton Pond
Queen Elizabeth's Plantation
Lawn Plantation
Oak Lodge
Pembroke Lodge (Cafeteria)
DEER PARK
King George V Jubilee Plantation
Whiteash Lodge
Pond Plantation
Sudbrook Park (Club Ho.)
The Wilderness
HORNBEAM WALK
Tercentenary Plantation
Pond Slade
Prince Charles's Spinney
Ham Cross Plantation
Gibbet Wood
Ham Bottom
Peg's Pond
Thomson's Pond
ISABELLA PLANTATION
Ham Cross
Ham Gate
HAM GATE AV.
17
12
5

12
A
B
C
D
E
1
2
3
4
5
6
7
6
11
18
UPPER RICHMOND ROAD WEST
UPPER RICHMOND RD. (STH. CIRCULAR RD.)
A205
SHEEN LA.
QUEENS RIDE
ROCKS LA.
Barnes
SW14
EAST SHEEN
TW10
Sheen Sch. & Sports Centre
E. Sheen Prim. Sch.
Beverley Brook
ROEHAMPTON PRIORY HOSPITAL
Sports Ground
Tennis Courts
Club House
Record Office
Clarence Farm
Rosslyn Pk. R.U.F.C.
Club House
ROEHAMPTON GOLF COURSE
ROEHAMPTON LANE
A306
Froebel College
Digby Stuart College
Roehampton Institute
QUEEN MARY'S UNIVERSITY HOSPITAL
Douglas Bader Cen.
PUTNEY
ROEHAMPTON
Pale Well
Pitch and Putt Course
Palewell Common
Palewell Fields
Playing Fields
East Sheen Gate
Adam's Pond
Horse Ride
Playing Field
Roehampton Gate
Sheen Cross Wood
Polo Field
Deer Pen
White Lodge Plantation
Duchess' Wood
RICHMOND PARK
White Lodge (The Royal Ballet School)
Victory Plantation
Killcat Corner
RICHMOND PARK GOLF COURSE
Kingsfarm Plantation
Treebox Wood
SPANKERS HILL WOOD
Playing Fields
Tercentenary Plantation
Prince Charles's Spinney
Robin Hood Gate
Beverley Bridge
(Open during daylight hours only)
Maryfield Convent
College Halls
WANDSWORTH
RICHMOND upon THAMES
Hyde Park Nursery
Chohole Gate
Silver Hill
STAG LANE
KINGSTON VALE
ROEHAMPTON VALE
A3
A308
Superstore
PUTNEY VALE CEMETERY
Putney Vale Crematorium
PUTNEY VALE
Kingston University (Roehampton Vale Centre)
Playing Fields
Memorial Gardens
War Memorial
School Wimbledon
ROBIN HOOD
WIMBLEDON COMMON
Silent Pools
Stag Bog
Stag Ride
Jerry's Hill
Queen's Mere
WANDSWORTH
MERTON
Broomfield Wood
KINGSTON VALE
Gravelly Ride
ROEHAMPTON LANE
RED ROVER
Scio Pond

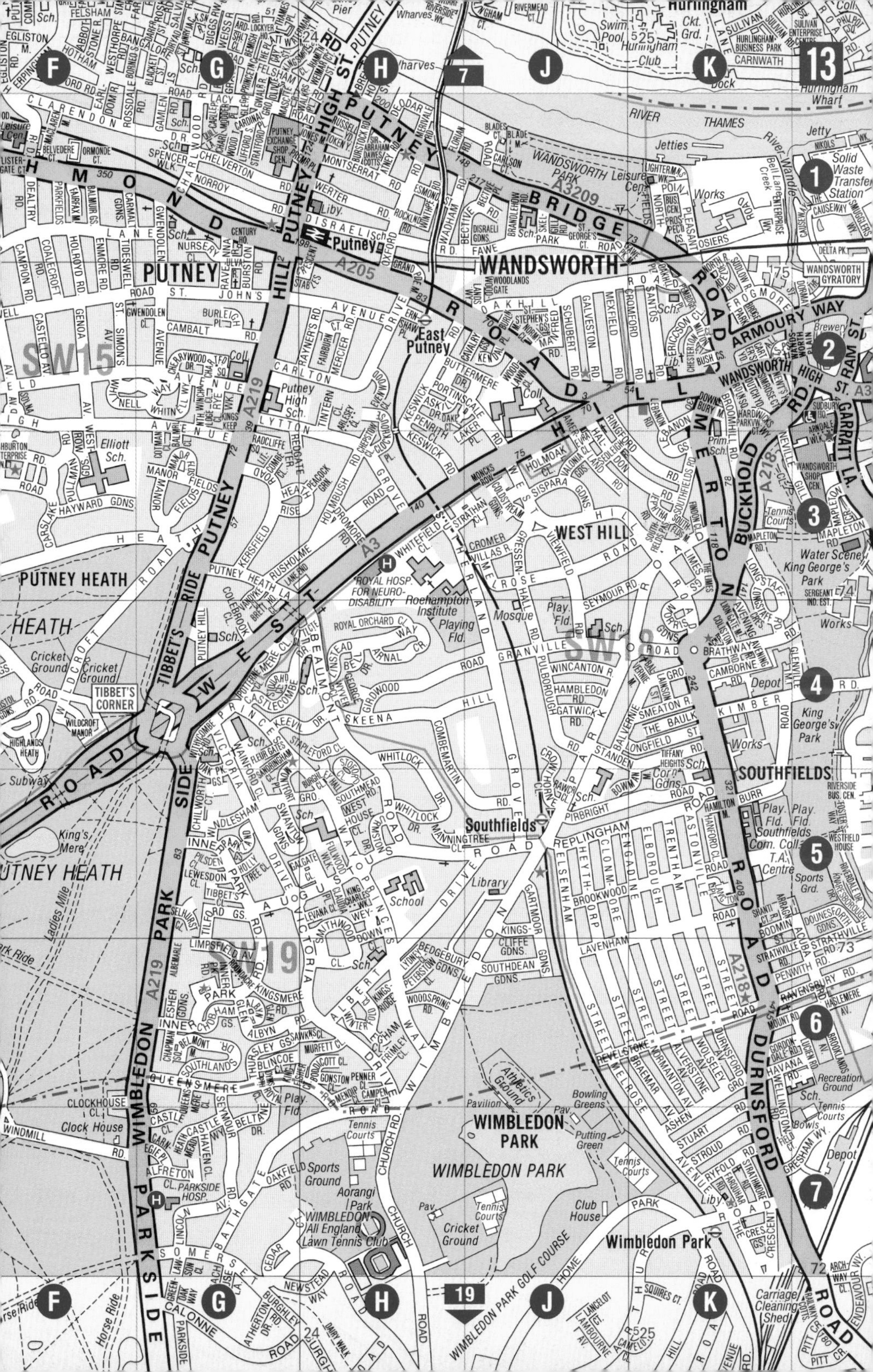

13
PUTNEY
WANDSWORTH
SW15
SW18
SW19
RIVER THAMES
PUTNEY HEATH
WEST HILL
SOUTHFIELDS
WIMBLEDON PARK
East Putney
Southfields
Wimbledon Park
Putney
Royal Hosp. for Neuro-Disability
Roehampton Institute
Wimbledon All England Lawn Tennis Club
Tibbet's Corner
King George's Park
Wandsworth Park
Wimbledon Park Golf Course
A3
A205
A219
A218
A3209
7
19

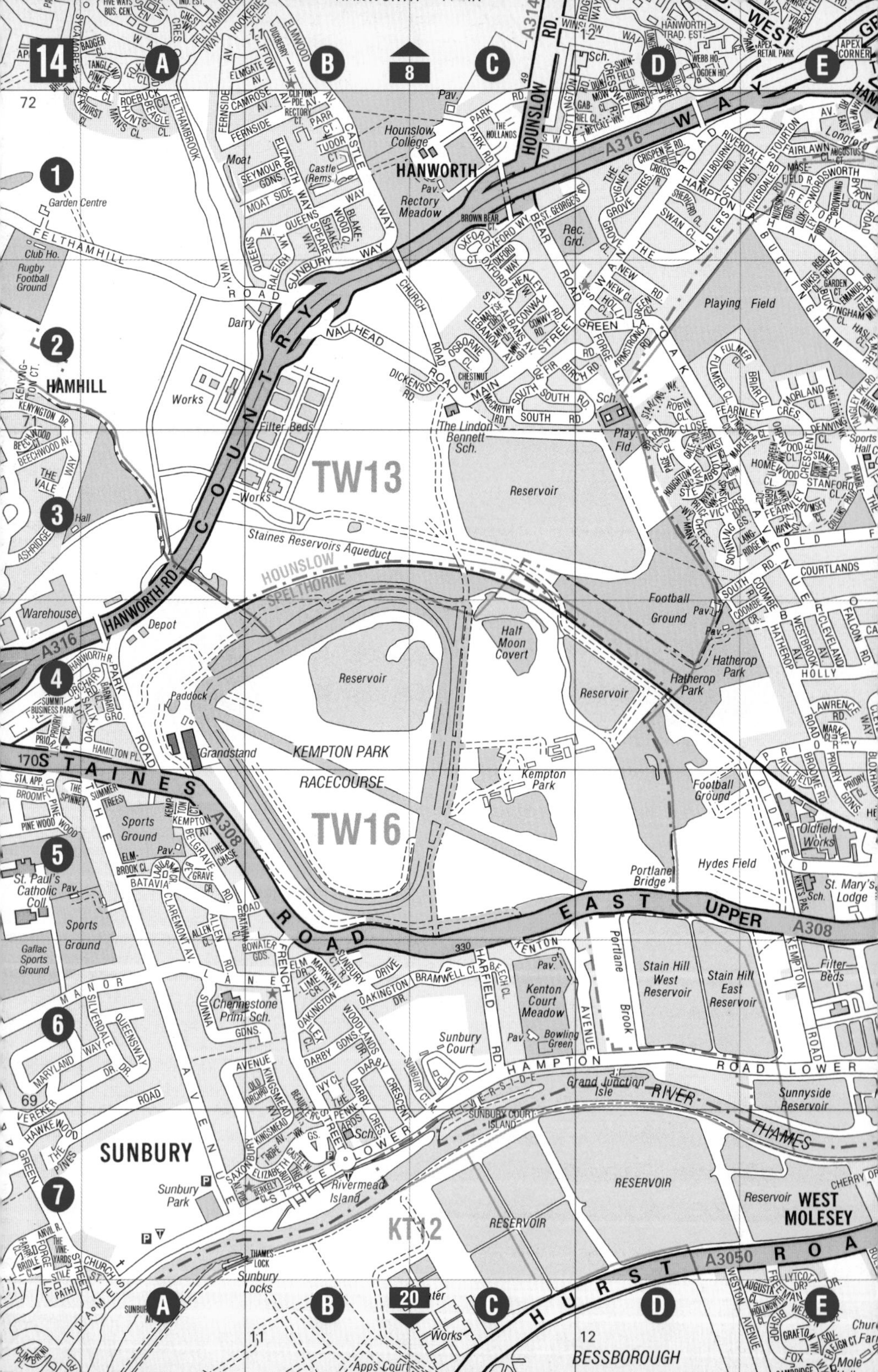
HANWORTH
Hounslow College
Rectory Meadow
HAMHILL
Garden Centre
Club Ho.
Rugby Football Ground
Dairy
Works
Filter Beds
TW13
Staines Reservoirs Aqueduct
HOUNSLOW
SPELTHORNE
Warehouse
Depot
HANWORTH RD
COUNTRY WAY
A316
Reservoir
Playing Field
The Lindon Bennett Sch.
Football Ground
Half Moon Covert
Hatherop Park
KEMPTON PARK RACECOURSE
Grandstand
Paddock
Kempton Park
TW16
STAINES ROAD
A308
Sports Ground
St. Paul's Catholic Coll.
Gaflac Sports Ground
Chennestone Prim. Sch.
Portlane Bridge
Hydes Field
Oldfield Works
St. Mary's Lodge
UPPER SUNBURY ROAD
Stain Hill West Reservoir
Stain Hill East Reservoir
Kenton Court Meadow
Sunbury Court
Grand Junction Isle
RIVER THAMES
Sunnyside Reservoir
Filter Beds
SUNBURY
Sunbury Park
Rivermead Island
Thames Lock
Sunbury Locks
KT12
RESERVOIR
WEST MOLESEY
HURST ROAD
A3050
BESSBOROUGH
Apps Court
Works
APEX CORNER
APEX RETAIL PARK
HANWORTH TRAD. EST.
HOUNSLOW RD.
A314
8
20

15
14
9
16
21
F
G
H
J
K
1
2
3
4
5
6
7
69
170
515
Fulwell Park
TWICKENHAM PARK GOLF COURSE
FULWELL GOLF COURSE
Fulwell
Club House
CROSS ROAD
SOUTH RD.
STRAWBERRY HILL GOLF COURSE
St. James' R.C. Prim. Sch.
Stanley Jun.& Inf. Schs.
Depot
Cemetery
UXBRIDGE ROAD
A312
A313
A311
A308
A309
A3050
B360
B358
BURTON'S ROAD
PARK ROAD
HAMPTON ROAD
WELLINGTON ROAD
FULWELL RD.
STANLEY RD.
SHACKLEGATE LANE
CHURCH ROAD
WALDEGRAVE
TW11
TW12
KT8
HAMPTON HILL
HAMPTON
Hampton Community College
Hampton School
Playing Field
Lady Eleanor Holles Sch.
Clarendon Sch.
Carlisle Park
Tennis Courts
HIGH STREET
ST. CLARE BUSINESS PARK
Cricket Grd.
Canal Plantation
Works
Pantile Bridge
Longford River
National Physical Laboratory
Bartons Cottage
Cricket Ground
Bushy House
Round Plantation
BUSHY PARK
Willow Plantation
River Lodge
Lodge
Waterhouse Woodland Garden
Waterhouse Pond
Fisher's Pond
Red Brick Bridge
Deer Pen
White Lodge
COBBLERS WALK
HAMPTON COURT ROAD
Hampton & Richmond Borough F.C.
Hampton
STATION ROAD
THAMES ST.
UPPER SUNBURY ROAD
Water Works
Filter Beds
Foot Ferry
Garrick's Ait
Garrick Lawn
St. Alban's Lodge
Hurst Park Open Space
RICHMOND upon THAMES
ELMBRIDGE
Platt's Eyot
Works
HURST PARK
Terrace Gardens
Taggs Island
Ash Island
Cricket Ground
Pavilion
Hampton Court House
Hampton Court Gate
Hampton Court Green
Royal Mews
HAMPTON COURT
HURST ROAD
Recreation Ground
Tennis Courts
Spts. Grd.
Vine Hall
Play. Fld.
School
EAST MOLESEY
RIVER BANK
PALACE ROAD
WOLSEY ROAD
WALTON ROAD
Cemetery
Rec. Grd
Lib.
Cigarette Island Park

STRAWBERRY HILL
TEDDINGTON
HAM
HAMPTON WICK
HAMPTON COURT
BUSHY PARK
HAMPTON COURT PARK
TW1
TW11
KT8
10
15
22
30
A
B
C
D
E
1
2
3
4
5
6
7
HIGH STREET
BROAD ST.
WALDEGRAVE RD.
STRAWBERRY VALE
TWICKENHAM RD.
KINGSTON ROAD
UP. TEDDINGTON RD.
PARK RD.
SANDY LANE
QUEEN'S ROAD
CHURCH ROAD
HAMPTON COURT ROAD
BROOM ROAD
RIVER THAMES
Teddington Lock
Teddington Weir
Teddington Studios
Teddington Riverside Lands
Ham Riverside Lands
Lensbury Club
Sports Ground
Athletic Ground
Collis Prim. Sch.
Teddington Sch. & Sports Cen.
Recreation Ground
Conifers
Trowlock Island
Steven's Eyot
Bushy House
National Physical Laboratory
Cricket Ground
Teddington Lodge
Broom Clumps
Hawthorn Lodge
Deer Pen
Warren Plantation
Half Moon Plantation
Heron Pond
Leg-of-Mutton Pond
Oval Plantation
Thatched Cottage
Diana Fountain
CHESTNUT AVENUE
Hampton Wick Royal Cricket Ground
The King's Field
Hampton Wick Pond
The Royal Paddocks
Bushy Lodge
Hampton Court House
Hampton Court Gate
Hampton Court Gardens
Maze
Stud House
The Wilderness
Parkfield
The Long Water
Privy Garden
Cigarette Island Park
Farm Cottages
The Cassel Hosp.
Meadlands Prim. Sch.
Young Mariners Base
KINGSTON BRI.
KINGSTON
UPPER HAM RD.
RICHMOND RD.
A309
A310
A313
A308
B358
B359
B360
A307

17
F
G
H
J
K
11
18
23
30
1
2
3
4
5
6
7
19
520
72
71
70
69
Prince Charles's Spinney
Ham
Ham Cross Plantation
Peg's Pond
Thomson's Pond
Broomfield Hill Wood
Broomfield Hill
HAM GATE AVENUE
B352
Bottom
Ham Cross
ISABELLA PLANTATION
Ham Gate
Lodge
COMMON
High Wood
Still Pond
Ham Dip
Deer Fold
TW10
RICHMOND PARK
Coronation Plantation
The Flat
Dann's Pond
(Open during daylight hours only)
Ladderstile Gate
Gallows Pond
King's Clump
RICHMOND upon THAMES
H.M.P. Latchmere House
HAM RIDINGS
Liby.
Rec. Grd.
Pav.
Sports Ground
R.C.Prim. Sch.
Kingston Gate
KT2
QUEENS
B351
RD.
LIVERPOOL ROAD
COMBE WOOD GOLF COURSE
COOMBE
WARREN CUTTING
Warren House
THE WATER GARDENS
GEORGE ROAD
Club Ho.
Holy Cross Preparatory R.C. Sch.
Rockeby Sch.
Marymount International School
Tennis Cts.
COOMBE WOOD GOLF COURSE
A308
KINGSTON HILL
Park Hill Sch.
KINGSTON HOSPITAL
Fernhill Prim. Sch.
Tiffin Sch.
A307
Mosque
Prim. Sch.
COOMBE LANE WEST
A238
COOMBE ROAD
Norbiton
NORBITON
LONDON ROAD
CAMBRIDGE ROAD
A2043
KINGSTON ROAD
Tiffin Sch.
FAIRFIELD N.
Leisure Cen.
The Fairfield Recreation Ground
KT1
KINGSTON UPON THAMES
Kingston upon Thames Crematorium
Running Track
Indoor Bowls Club
Kingstonian Football Club (Kingsmeadow)
Club
Recreation Ground
Sludge Beds
Retail Park
Rec. Grd.
Corpus Christi R.C. Prim. Sch.
Hogsmill River
Waste Disposal Centre
Sewage Works
Kingston Univ.
CROMWELL R.
CLARENCE ST.
WHEATFIELD
FAIRFIELD IND. EST.
KINGSMILL BUS. PK.
LEIGH CL IND. EST.

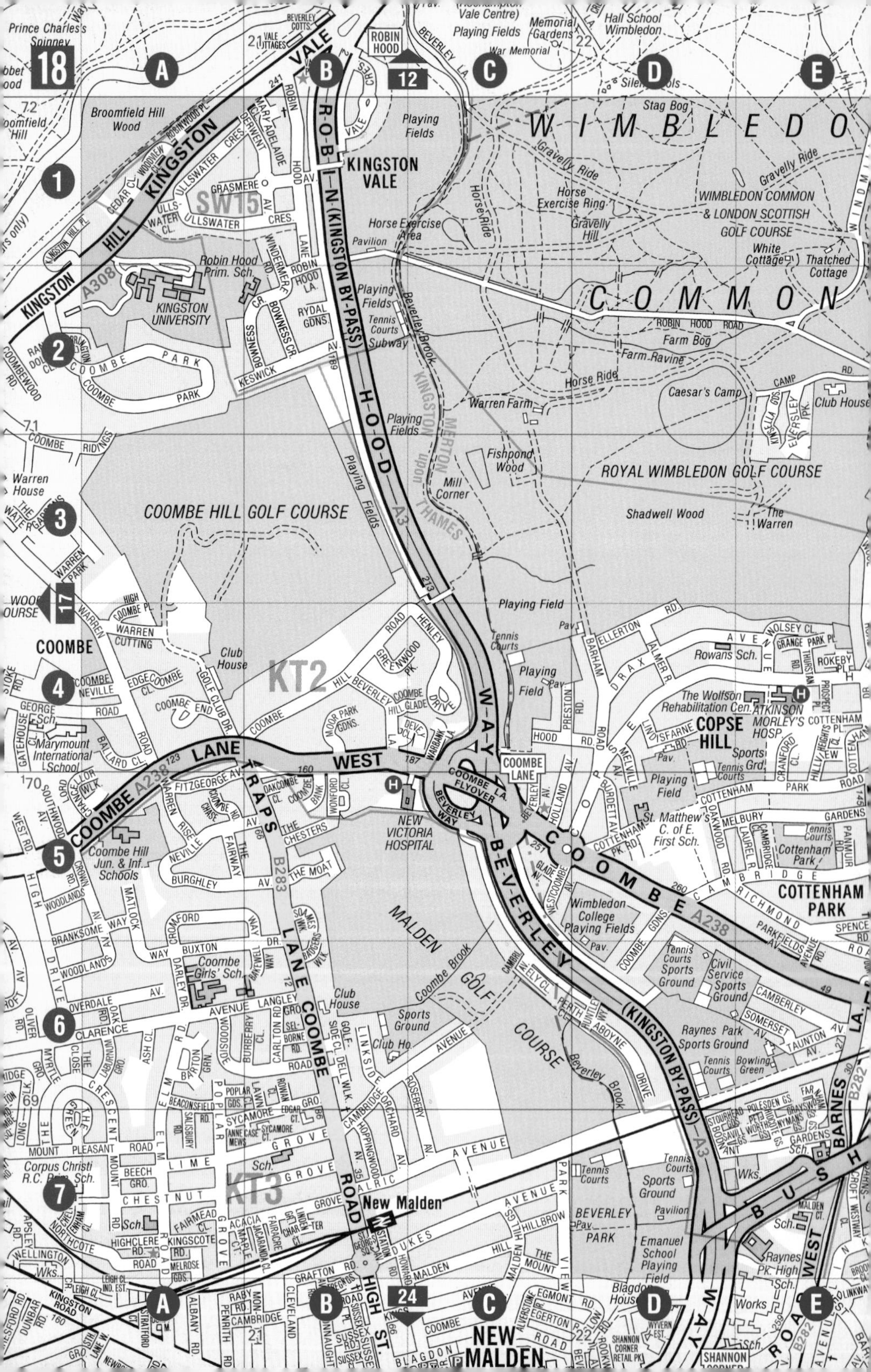
18
12
17
24
A
B
C
D
E
1
2
3
4
5
6
7
WIMBLEDON COMMON
KINGSTON VALE
KINGSTON HILL
A308
ROBIN HOOD WAY (KINGSTON BY-PASS)
A3
SW15
KT2
KT3
Broomfield Hill Wood
Prince Charles's Spinney
Kingston University
Robin Hood Prim. Sch.
Playing Fields
Horse Exercise Area
Horse Exercise Ring
Gravelly Ride
Gravelly Hill
Stag Bog
Hall School Wimbledon
Memorial Gardens
War Memorial
WIMBLEDON COMMON & LONDON SCOTTISH GOLF COURSE
White Cottage
Thatched Cottage
Robin Hood Road
Farm Bog
Farm Ravine
Horse Ride
Caesar's Camp
Club House
Warren Farm
Fishpond Wood
Mill Corner
ROYAL WIMBLEDON GOLF COURSE
Shadwell Wood
The Warren
Beverley Brook
KINGSTON upon THAMES
MERTON
COOMBE HILL GOLF COURSE
Warren House
COOMBE
Coombe Park
Coombe Ridings
Coombe Lane West
A238
Marymount International School
Coombe Hill Jun. & Inf. Schools
Coombe Girls' Sch.
New Victoria Hospital
Coombe Flyover
Beverley Way (Kingston By-Pass)
MALDEN GOLF COURSE
Coombe Brook
Traps Lane
Coombe Lane
B283
Sports Ground
Playing Field
Rowans Sch.
The Wolfson Rehabilitation Cen.
Atkinson Morley's Hosp.
COPSE HILL
St. Matthew's C. of E. First Sch.
Wimbledon College Playing Fields
Cottenham Park
COTTENHAM PARK
Civil Service Sports Ground
Raynes Park Sports Ground
Beverley Park
Emanuel School Playing Field
Blagdon House
Raynes Pk. High Sch.
Bushey Road
B282
Barnes Lane
West Barnes Lane
New Malden
NEW MALDEN
Kingston Road
Malden Road
High St.
Corpus Christi R.C. Prim. Sch.
Shannon Corner Retail Pk.

19
F
G
H
J
K
13
25
1
2
3
4
5
6
7
SW19
SW20
WIMBLEDON
SOUTH WIMBLEDON
MERTON PARK
BUSHEY MEAD
Wimbledon Park
Wimbledon
Wimbledon Chase
South Merton
Morden
Merton Park
Dundonald Rd.
Aorangi Park
Club House
Cricket Ground
Tennis Courts
WIMBLEDON All England Lawn Tennis & Croquet Club
WIMBLEDON PARK GOLF COURSE
Carriage Cleaning Shed
Wimbledon Cemetery
Bishop Gilpin C.of E. First Sch.
Wimbledon High Sch.
Mus.
Lib.
Rushmere Pond
Cannizaro House
Cannizaro Park
King's Coll. Sch.
Southside Ho.
Playing Fields
Wimbledon Coll.
Ursuline Convent Prep. Sch.
High Sch.
Play. Fld.
Dundonald First Sch.
Recreation Ground
Sports Ground
Schs. Play. Fld.
Wks.
South Park Gardens
First Sch.
Tennis Courts
Rec. Grd.
Playing Field
Croydon Tramlink
NELSON IND.EST.
NELSON HOSP.
John Innes Park
Rutlish Sch.
Playing Field
Rec. Grd.
Mostyn Gardens
David Lloyd Centre
PRINCE GEORGE'S PLAYING FIELD
Messines Playing Field
Joseph Hood Recreation Ground
Bowling Green
Playgrd
CANNON HILL COMMON
Recreation Ground
Pavilion
Cannon Hill
Civic Cen.
Coll.
Sch.
Horse Ride
PARKSIDE
HIGH ST.
WIMBLEDON HILL RD.
THE BROADWAY
ALEXANDRA RD.
HARTFIELD ROAD
KINGSTON ROAD
WORPLE ROAD
MARTIN WAY
ROAD
GAP ROAD
ARTHUR ROAD
HOME PARK ROAD
CHURCH ROAD
THE CAUSEWAY
CANNIZARO RD.
WEST SIDE COMN.
WOODHAYES RD.
RIDGWAY
GRAND DRIVE
A219
A238
A298
B235
B281
B285
B286
B279

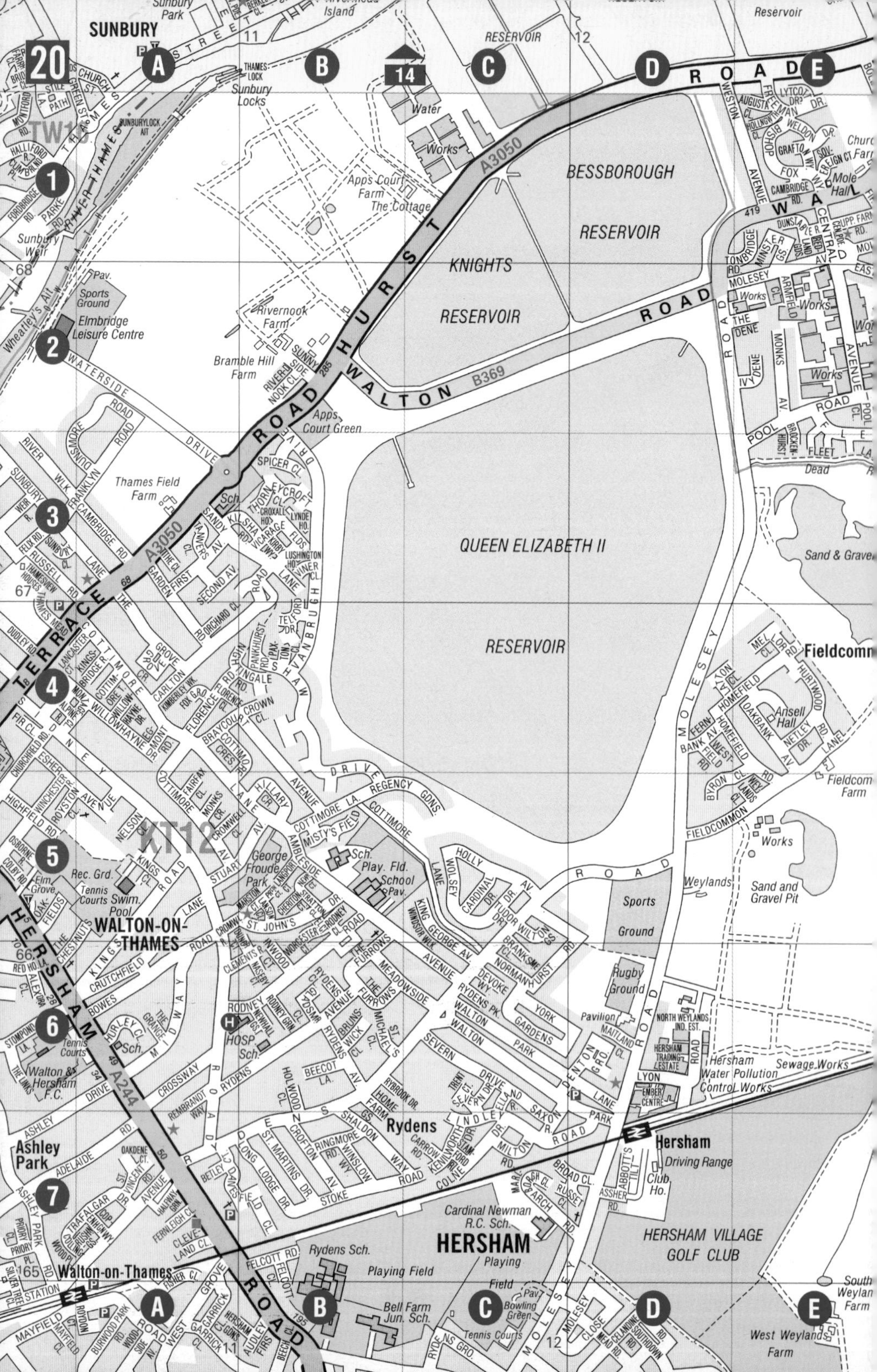
SUNBURY
Sunbury Park
Sunbury Locks
Water Works
Apps Court Farm
The Cottage
BESSBOROUGH RESERVOIR
KNIGHTS RESERVOIR
QUEEN ELIZABETH II RESERVOIR
Rivernook Farm
Bramble Hill Farm
Apps Court Green
Thames Field Farm
Elmbridge Leisure Centre
Sports Ground
Sunbury Weir
RIVER THAMES
HURST ROAD
WALTON ROAD
MOLESEY ROAD
FIELDCOMMON ROAD
TERRACE ROAD
HERSHAM ROAD
A3050
B369
A244
KT12
TW16
WALTON-ON-THAMES
Rec. Grd.
Tennis Courts
Swim. Pool
George Froude Park
Play. Fld.
School Pav.
Fieldcommon
Ansell Hall
Fieldcommon Farm
Sand & Gravel
Sand and Gravel Pit
Works
Weylands
Sports Ground
Rugby Ground
Pavilion
NORTH WEYLANDS IND. EST.
HERSHAM TRADING ESTATE
Hersham Water Pollution Control Works
Sewage Works
EMBER CENTRE
Hersham
Driving Range
Club Ho.
HERSHAM VILLAGE GOLF CLUB
South Weylands Farm
West Weylands Farm
Rydens
HERSHAM
Cardinal Newman R.C. Sch.
Rydens Sch.
Playing Field
Bell Farm Jun. Sch.
Bowling Green
Tennis Courts
Ashley Park
Walton & Hersham F.C.
Walton-on-Thames
HOSP.
Sch.
Mole Hall
Dead River
A B C D E
1 2 3 4 5 6 7
11 12
14
68 67 66 165

21
15
22
WEST MOLESEY
EAST MOLESEY
HAMPTON COURT
Hampton Court
KT8
KT7
KT10
ISLAND BARN RESERVOIR
River Mole
Camping & Caravan Site
Esher Water Pollution Control Works
Molesey Pony Farm
Pumping Station
Nielson Playing Field
Sports Ground
Recreation Ground
Recreation Grd.
Esher College
Esher
ESHER
WESTON GREEN
HINCHLEY WOOD
Hinchley Wood
THAMES DITTON & ESHER GOLF COURSE
SANDOWN PARK GOLF COURSE
SANDOWN PARK RACECOURSE
Grand Stand
Littleworth Common
Lower Green
Esher Place
Trinity C of E School
Swimming Pool
Ski Slope
The Warren
SCILLY ISLES
Imber Court
IMBER COURT TRADING ESTATE
Ditton Field
Ditton Common
Cigarette Island Park
Royal Mews
Molesey F.C.
MOLESEY HOSP.
Tanner's Bridge
Yew Tree Cottages
RIVER MOLE BUSINESS PARK
A3050
A309
A307
B369
B3379
B364
HAMPTON COURT WAY
KINGSTON-A309-BY-PASS
PORTSMOUTH ROAD
ESHER LANE
EMBER LANE
EMBER COURT RD.
WALTON ROAD
BRIDGE ROAD
MOLESEY ROAD
FARM ROAD
MILL ROAD
LOWER GREEN ROAD
WESTON GREEN ROAD
STATION ROAD
MORE LANE
LITTLEWORTH ROAD
ARRAN WY.
BLAIR AV.
CRANBROOK DR.
THE DRIVE
GROVE WAY
SUMMER ROAD
SPENCER RD.
CLINTON AV.
BEAUCHAMP ROAD
WOLSEY ROAD
PALACE ROAD
CREEK RD.
ORCHARD LA
BROADFIELDS
WAYNEFLETE TOWER AVENUE
FEATHERSTONE? (illegible omitted)

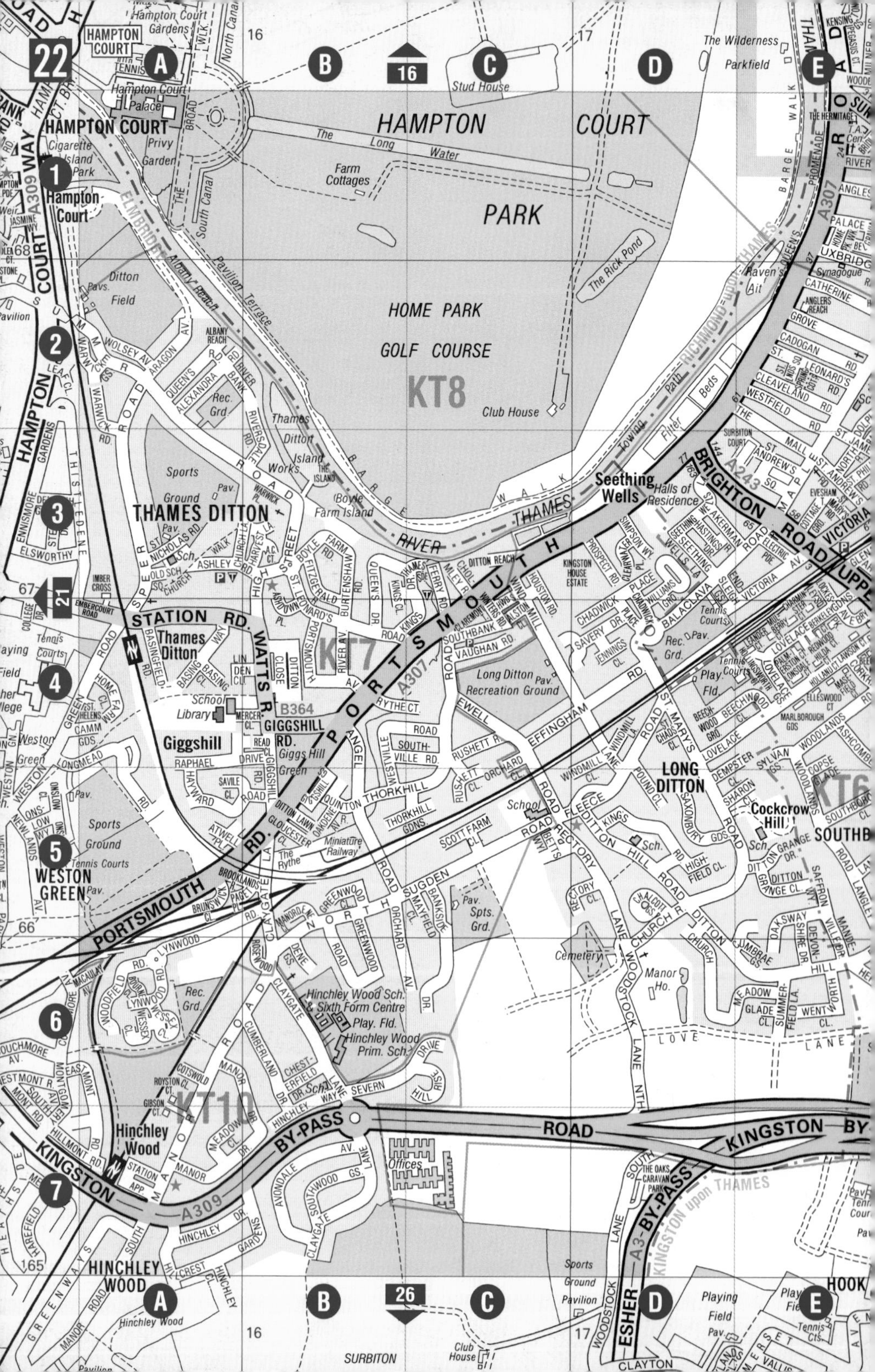

HAMPTON COURT
HAMPTON COURT PARK
HOME PARK GOLF COURSE
KT8
KT7
KT10
THAMES DITTON
Giggshill
LONG DITTON
Seething Wells
WESTON GREEN
HINCHLEY WOOD
Hinchley Wood
Cockcrow Hill
Hampton Court Palace
The Long Water
Farm Cottages
Stud House
The Wilderness
Parkfield
The Rick Pond
Club House
Raven's Ait
Thames Ditton Island
Boyle Farm Island
Ditton Field
Long Ditton Recreation Ground
Cemetery
Manor Ho.
Hinchley Wood Sch. & Sixth Form Centre
Hinchley Wood Prim. Sch.
Miniature Railway
The Rythe
Halls of Residence
Filter Beds
Towing Path
RIVER THAMES
PORTSMOUTH RD.
A307
A309
A243
B364
STATION RD.
KINGSTON BY-PASS
ESHER BY-PASS
A3
BRIGHTON ROAD
VICTORIA
SURBITON
HOOK
KINGSTON upon THAMES
ELMBRIDGE
16
17

16
21
26

23
17
30
24
27
F
G
H
J
K
1
2
3
4
5
6
7
KT1
KT3
KT4
KT5
KT9
Kingston Cemetery
Kingston upon Thames Crematorium
Kingstonian Football Club (Kingsmeadow)
Running Track
Recreation Ground
Retail Park
KINGSTON RD.
A2043
Hogsmill River
Waste Disposal Centre
Sewage Works
MARSH LANE
LOWER MARSH LANE
Surbiton Cemetery
Berrylands
BERRYLANDS
SURBITON HILL PARK
SURBITON HILL ROAD
KING CHARLES ROAD
EWELL ROAD
A240
A3
A243
A3210
B3364
B3363
B3370
ELMBRIDGE AVENUE
GRAND AVENUE
Grand Avenue Prim. Sch.
Hogsmill River
Sports Grounds
Tennis Courts
Pavilion
Club House
Bowling Green
Hollyfield Sch.
Hillcroft Coll.
SURBITON HOSP.
SURBITON
ST. MARK'S HILL
BRIGHTON ROAD
KINGSDOWNE RD.
DITTON ROAD
HOOK ROAD
HOOK JUNC.
HOOK RISE
ALEXANDRA DRIVE
HOLLYFIELD RD.
Recreation Ground
TOLWORTH
TOLWORTH HOSP.
Tolworth
TOLWORTH JUNCTION
TOLWORTH BROADWAY
TOLWORTH RISE
KINGSTON BY-PASS
KINGSTON ROAD
WARREN DRIVE NORTH
WARREN DRIVE SOUTH
Knollmead Prim. Sch.
Sports Ground
Government Offices
King George's Field Playing Field
Football Pitch
Tolworth Court Farm
Tolworth Court Bridge
WORCESTER PARK RD.
Richard Challoner School
Riverhill
Tolworth Rec. Cen.
Playing Field
RED LION BUS. PARK
SWALLOW PARK CARAVAN SITE
HOOK RISE SOUTH IND. PARK
KING GEORGE'S TRADING EST.
Works
JUBILEE WAY

New Malden
18
NEW MALDEN
KT3
23
KINGSTON ROAD
A2043
BURLINGTON ROAD
B282
B283
HIGH ST.
MALDEN RD.
KINGSTON BY-PASS
MALDEN JUNC.
MALDEN WAY
A3
The Malden Sch.
Adult Training Cen.
The Study Sch.
FOUNTAIN ROUNDABOUT
SHANNON CORNER
SHANNON CORNER RETAIL PK.
Blagdon House
Beverley Sch.
WEST BARNES
Motspur Park
University of London Athletic Ground
Running Track
B.B.C. Sports Ground
MOTSPUR PARK
Gas Works
The Sir Joseph Hood Memorial Playing Fields
Green Lane Prim. Sch.
Playing Fields
KINGSTON upon THAMES
Beverley Brook
Local Gov. Computer Centre
Sewage Wks.
MANOR PARK
Hall
Bowling Green
Malden Manor Prim. Sch.
Sports Field
Richard Challoner School
Malden Manor
OLD MALDEN
B284
Malden Green
Worcester Park
Sports Ground
CENTRAL ROAD
Superstore
Lib.
Cemy.
Playing Field
Tennis Courts
Nursery
Maori Sports Ground
Hogsmill River
Riverhill
Cricket Ground
Sports Ground
Linden Bridge Sch. & Spring Cen.
OLD MALDEN LANE
WORCESTER PARK RD.
Wandgas Athletic Ground
Dancer Dick Wood
Shadbolt Park
Pond
WORCESTER PARK
KT4
EPSOM and EWELL
Cuddington Prim. Sch.
King George's Field
Auriol Park
Cuddington Recreation Ground
KINGSTON ROAD
A240
Sports Grounds
Club House
Pavilion
Bowling Green
Tennis Courts
A
B
C
D
E
1
2
3
4
5
6
7

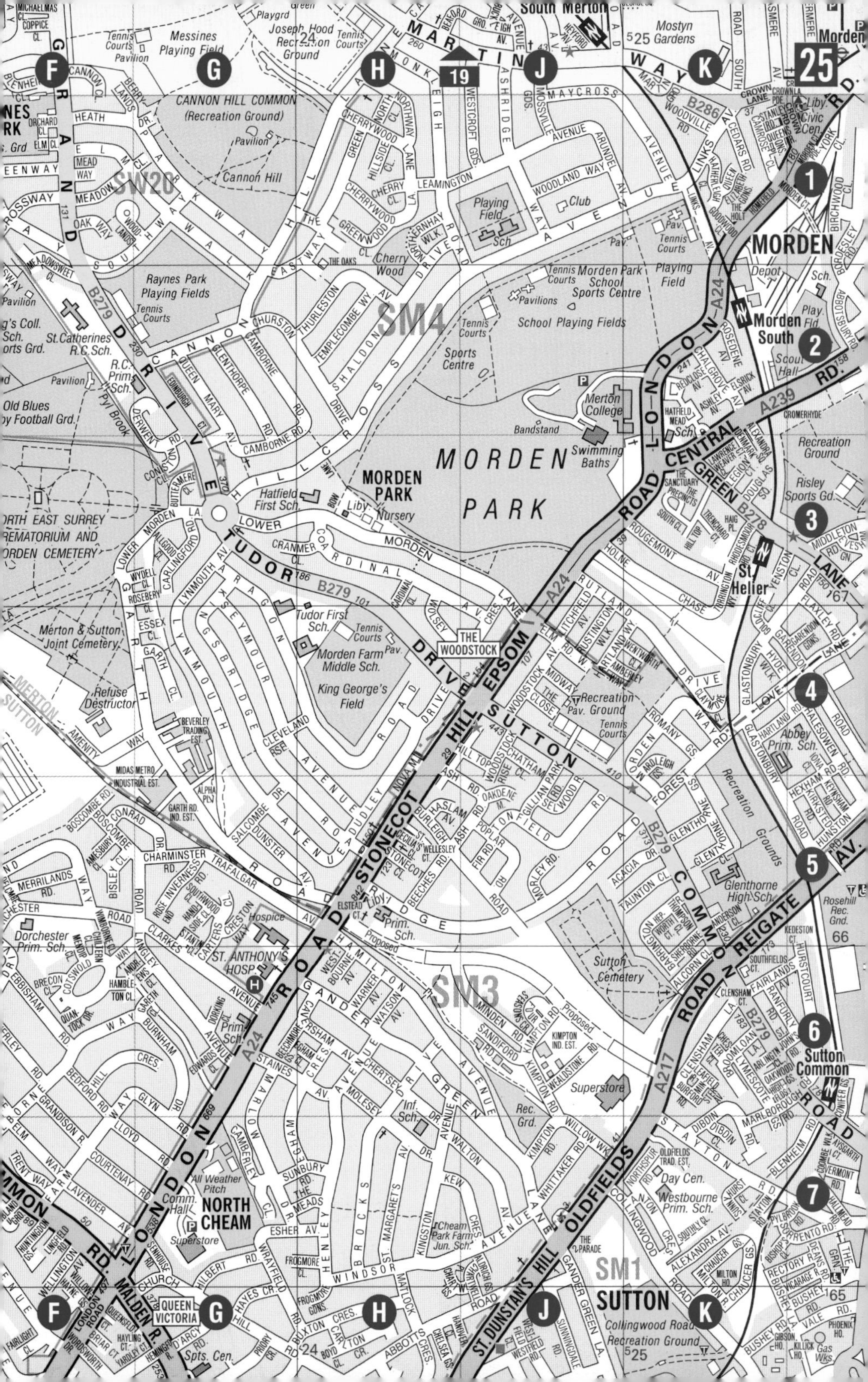

25
19
24
Morden
South Merton
MARTIN WAY
Mostyn Gardens
Joseph Hood Recreation Ground
Messines Playing Field
Tennis Courts
Pavilion
Playgrd
CANNON HILL COMMON (Recreation Ground)
Cannon Hill
SW20
Raynes Park Playing Fields
St.Catherines R.C.Sch.
R.C. Prim. Sch.
Pyl Brook
Old Blues
Football Grd.
NORTH EAST SURREY CREMATORIUM AND MORDEN CEMETERY
Merton & Sutton Joint Cemetery
Refuse Destructor
MERTON
SUTTON
SM4
Cherry Wood
THE OAKS
Playing Field
Sch
Club
Morden Park School Sports Centre
School Playing Fields
Pavilions
Sports Centre
Playing Field
MORDEN
Depot
Morden South
Scout Hall
Liby.
Civic Cen.
Merton College
Bandstand
Swimming Baths
MORDEN PARK
Hatfield First Sch.
Liby.
Nursery
Tudor First Sch.
Morden Farm Middle Sch.
King George's Field
THE WOODSTOCK
Recreation Ground
Risley Sports Gd.
St. Helier
Abbey Prim. Sch.
Recreation Grounds
Glenthorne High Sch.
Rosehill Rec. Gnd.
Sutton Cemetery
Superstore
Rec. Grd.
KIMPTON IND. EST.
SM3
Hospice
ST. ANTHONY'S HOSP.
Prim. Sch.
Inf. Sch.
Dorchester Prim. Sch.
MIDAS METRO INDUSTRIAL EST.
GARTH RD. IND. EST.
BEVERLEY TRADING EST.
All Weather Pitch
Comm. Hall
NORTH CHEAM
Superstore
Cheam Park Farm Jun. Sch.
Sutton Common
OLDFIELDS TRAD. EST.
Day Cen.
Westbourne Prim. Sch.
THE PARADE
SM1
SUTTON
Collingwood Road Recreation Ground
QUEEN VICTORIA
Spts. Cen.
Gas Wks.
HILL CROSS AVENUE
LOWER MORDEN LANE
TUDOR DRIVE
GRAND DRIVE
CANNON HILL LANE
LONDON ROAD
EPSOM ROAD
STONECOT HILL
SUTTON COMMON ROAD
CENTRAL ROAD
GREEN LANE
ST. HELIER AVENUE
ROSE HILL
MALDEN RD.
OLDFIELDS ROAD
ST. DUNSTAN'S HILL
CHEAM COMMON RD.
ST. ANTHONY'S WAY
A24
A239
A217
B279
B278
B286
F
G
H
J
K
1
2
3
4
5
6
7
66
65
167

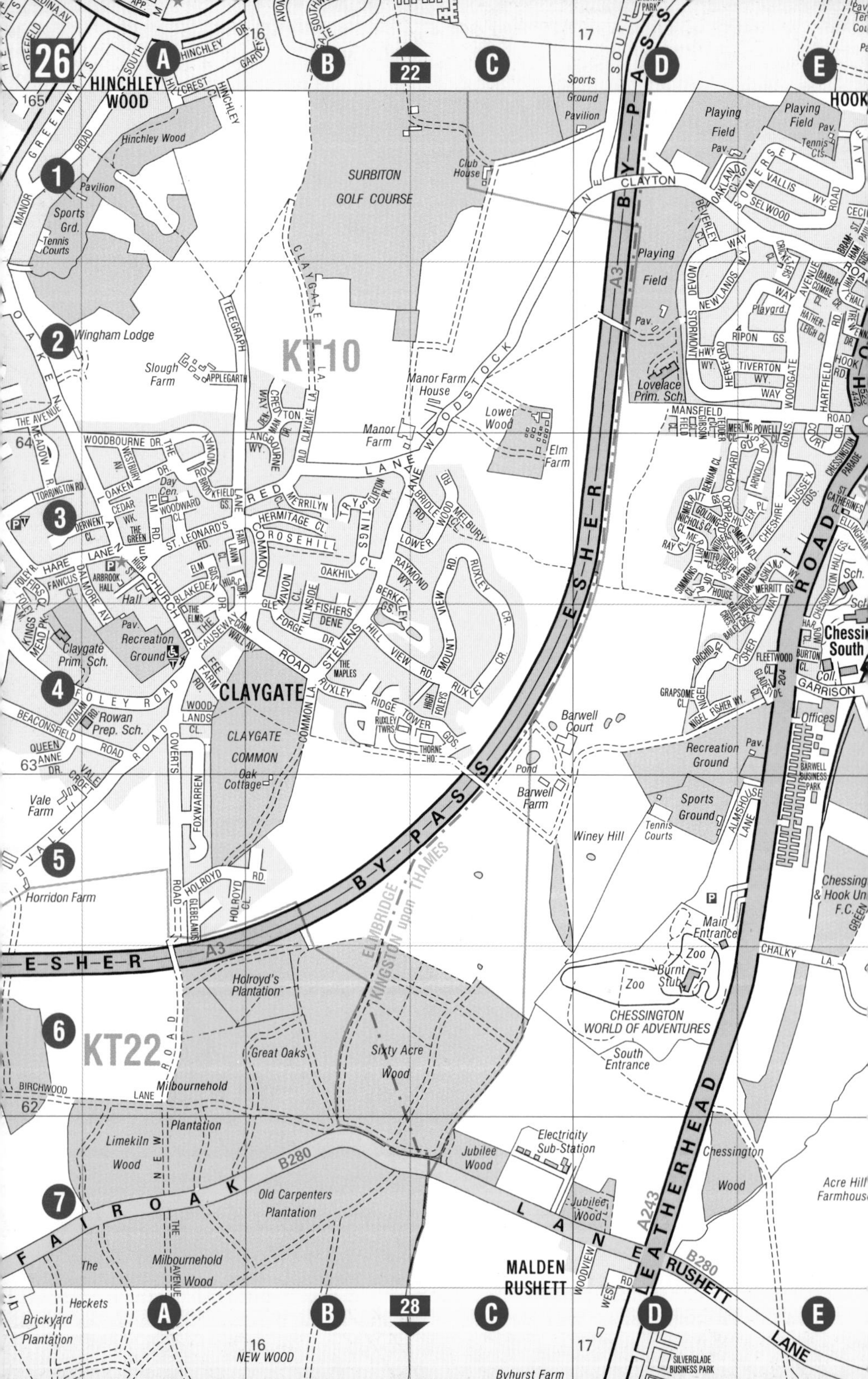
HINCHLEY WOOD
Hinchley Wood
Pavilion
Sports Grd.
Tennis Courts
Wingham Lodge
Slough Farm
APPLEGARTH
TELEGRAPH
SURBITON GOLF COURSE
Club House
Sports Ground Pavilion
KT10
Manor Farm House
Manor Farm
Lower Wood
Elm Farm
CLAYGATE
CLAYGATE COMMON
Oak Cottage
Claygate Prim. Sch.
Recreation Ground
Rowan Prep. Sch.
Vale Farm
Horridon Farm
KT22
Holroyd's Plantation
Great Oaks
Sixty Acre Wood
Milbournehold Plantation
Limekiln Wood
Old Carpenters Plantation
The Milbournehold Wood
The Heckets
Brickyard Plantation
NEW WOOD
Byhurst Farm
Jubilee Wood
Electricity Sub-Station
MALDEN RUSHETT
SILVERGLADE BUSINESS PARK
Chessington Wood
Acre Hill Farmhouse
CHESSINGTON WORLD OF ADVENTURES
South Entrance
Main Entrance
Zoo
Burnt Stub
Winey Hill
Barwell Court
Pond
Barwell Farm
Tennis Courts
Sports Ground
Recreation Ground
BARWELL BUSINESS PARK
Offices
Chessington & Hook United F.C.
Playing Field
Playing Field
Lovelace Prim. Sch.
Playing Field
HOOK
ESHER BY-PASS
A3
A243
B280
FAIROAK LANE
LEATHERHEAD ROAD
RUSHETT LANE
CLAYTON
WOODSTOCK LANE
ELMBRIDGE
KINGSTON upon THAMES
22
28

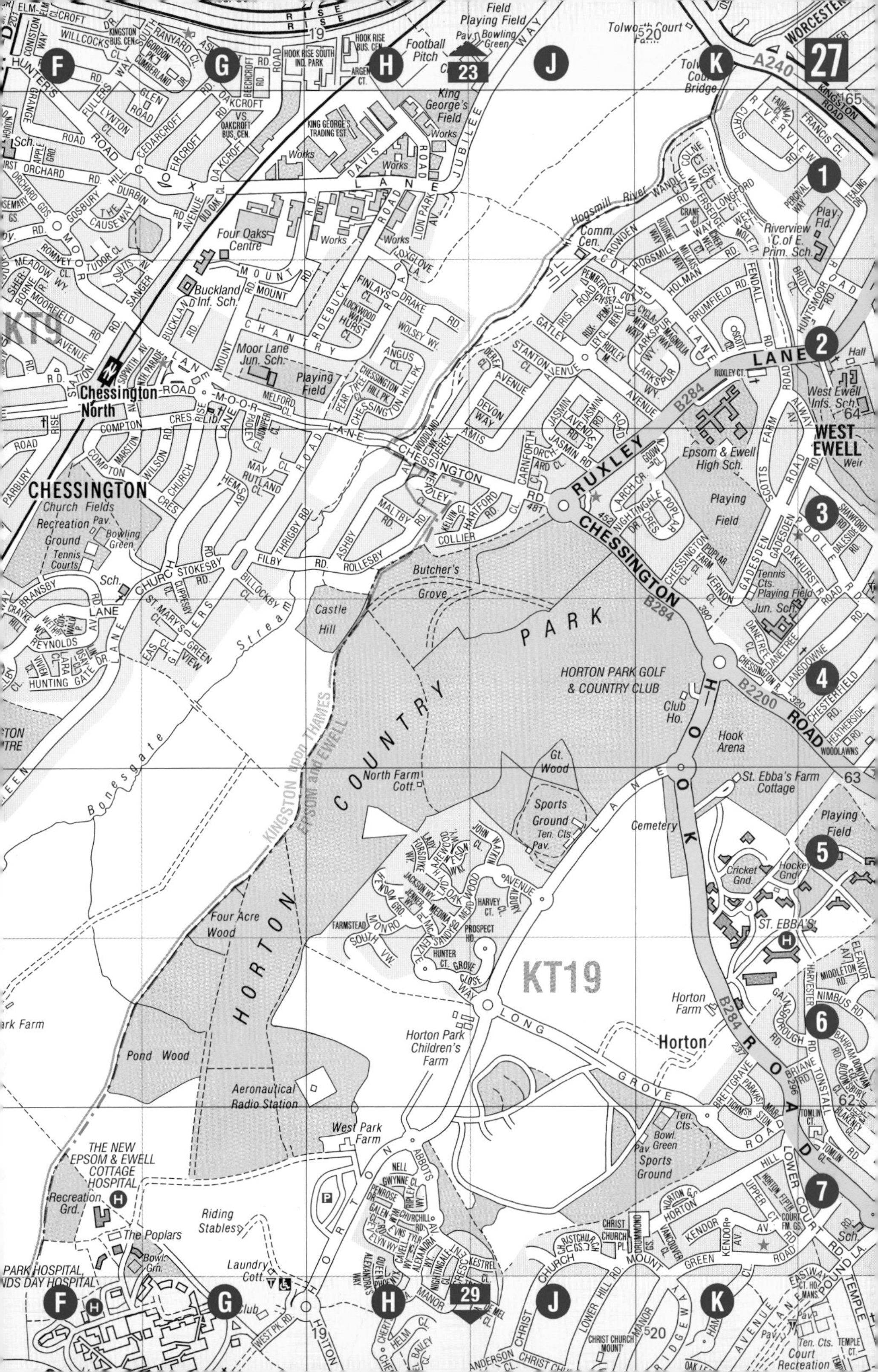

26
MALDEN RUSHETT
RUSHETT
B280
LEATHERHEAD ROAD
A243
KINGSTON ROAD
OXSHOTT ROAD
A244
M25 MOTORWAY
Junction 9
PRINCE'S COVERTS
NEW WOOD
Stoke Wood
Jessop's Well
Horns Hill
LEATHERHEAD GOLF COURSE
Pachesham Park
KT22
KT9
ASHTEAD COMMON
THE FORE
Bunkers Hill
Telegraph Hill
Reservoir (Covered)
Byhurst Farm
Rushett Farm
SILVERGLADE BUSINESS PARK
D'Abernon Chase Cottage
D'Abernon Ho.
EPSOM GAP
ASHTEAD GAP
Club House
Pachesham Lake
LEATHERHEAD COMMON
Little Brook Park
Crab Apple Court
Tyrwhitt House
Dorincourt
Teazle Wood
Club House
Pachesham Park Golf Centre
Superstore
Rowhurst Forge
Works
West Hill Sch.
LEATHERHEAD COMMON
Research Laboratories
The Mounts
Playing Field
LOWER ASHTEAD
Barnett Wood
Caen Wood
The Oaks
Ashley Court
Hillthorpe
Paddock Lodge Stables
Trevona
The Rye
Wood Fie
ELMBRIDGE
KINGSTON upon THAMES
MOLE VALLEY
Heckets
Brickyard Plantation
Milbournehold Wood
Plantation
Jubilee Wood
Fairways
M25
Junction 9
B2430
Sch.

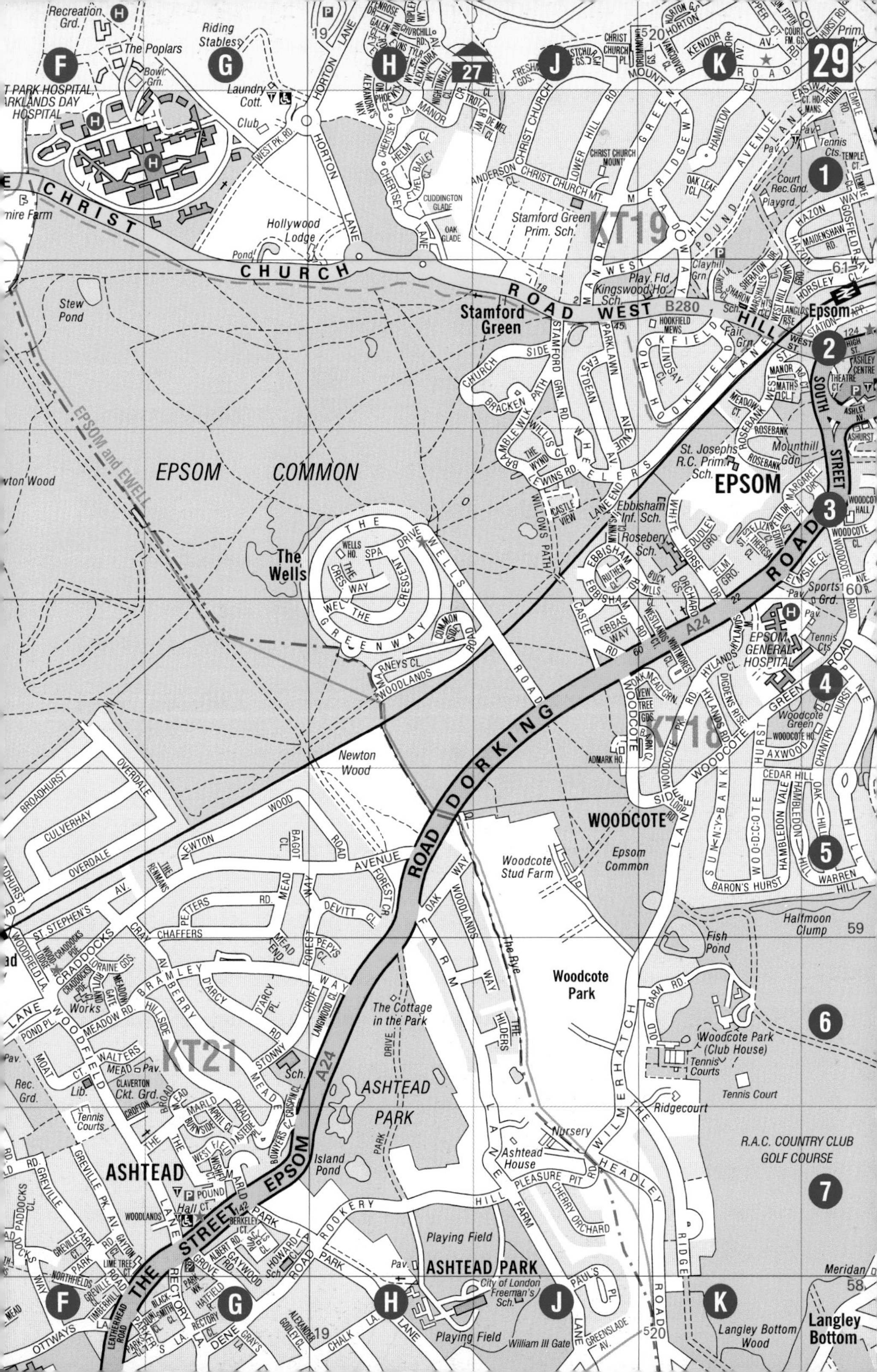

29
27
F
G
H
J
K
1
2
3
4
5
6
7
Recreation Grd.
The Poplars
Riding Stables
Laundry Cott.
Club
Bowl. Grn.
PARKLANDS DAY HOSPITAL
CHRIST CHURCH ROAD
WEST PK. RD.
HORTON LANE
Hollywood Lodge
Pond
CUDDINGTON GLADE
OAK GLADE
Stew Pond
Stamford Green
Stamford Green Prim. Sch.
KT19
CHRIST CHURCH MT.
CHRIST CHURCH MOUNT
ANDERSON CL.
LOWER HILL RD.
MERIDEN WAY
HAMILTON CL.
POUND LANE
OAK LEAF CL.
Court Rec. Gnd.
Playgrd.
Tennis Cts.
HAZON WAY
MAIDENSHAW RD.
GOSFIELD RD.
HORSLEY CL.
Clayhill Grn.
Play. Fld
Kingswood Ho. Sch.
WEST HILL
B280
Epsom
HOOKFIELD MEWS
HOOKFIELD
LINDSAY CL.
Fair Grn.
STAMFORD GRN. RD.
PARKLAWN AVENUE
EASTDEAN AV.
CHURCH SIDE
BRACKEN PATH
BRAMBLE WLK.
THE WYND
WILLIS CL.
WHEELERS LANE
LEWINS RD.
CASTLE VIEW
WILLOWS PATH
EPSOM COMMON
EPSOM and EWELL
The Wells
WELLS HO.
SPA DRIVE
THE CRES.
THE CRESCENT
THE GREENWAY
WELLS ROAD
COMMON SIDE
MARNEYS CL.
WOODLANDS ROAD
EPSOM
St. Josephs R.C. Prim. Sch.
ROSEBANK
Mounthill Gdn.
SOUTH STREET
ASHLEY CENTRE
THEATRE CT.
ASHLEY AV.
ASHURST
Ebbisham Inf. Sch.
Rosebery Sch.
WHITE HORSE DR.
DUDLEY GRO.
ELM GRO.
EBBISHAM RD.
RUTHEN CL.
BUCKNILLS CL.
ORCHARD GS.
WESTLANDS CT.
WHITMORES CL.
EBBAS WAY
CASTLE RD.
A24
DORKING ROAD
EPSOM GENERAL HOSPITAL
HYLANDS RD.
HYLANDS CL.
DIGDENS RISE
WOODCOTE GREEN RD.
Woodcote Green
WOODCOTE HO.
AXWOOD
CEDAR HILL
HAMBLEDON VALE
OAK HILL
CHANTRY HURST
PINE HILL
WARREN HILL
BARON'S HURST
SUNNYBANK
WOODCOTE HURST
Sports Grd.
Tennis Cts.
KT18
ADMARK HO.
OAK MEAD GRN.
YEW TREE GDS.
BARN CL.
WOODCOTE PK. RD.
WOODCOTE SIDE
LOOP RD.
WOODCOTE
Woodcote Stud Farm
Epsom Common
Halfmoon Clump
Fish Pond
Woodcote Park
OLD BARN RD.
Woodcote Park (Club House)
Tennis Courts
Tennis Court
Ridgecourt
R.A.C. COUNTRY CLUB GOLF COURSE
WILMERHATCH LANE
HEADLEY ROAD
THE RIDGE
Newton Wood
BROADHURST
CULVERHAY
OVERDALE
NEWTON WOOD ROAD
BAGOT CL.
AVENUE
FOREST CR.
MEAD WAY
DEVITT CL.
THE RENMANS
PETTERS RD.
CHAFFERS
MEAD END
PEPYS CL.
FOREST
CROFT WAY
ST. STEPHEN'S AV.
CRADDOCKS
CRADDOCKS PDE.
LORAINE GDS.
RUTLAND
MEADOW GATE
Works
BRAMLEY
BERRY
D'ARCY PL.
LANGWOOD CL.
MEADOW RD.
HILLSIDE
WOODFIELD LANE
POND PL.
MOAT CT.
WALTERS MEAD
Pav.
Rec. Grd.
Lib.
CLAVERTON
Ckt. Grd.
KT21
STONNY MEADE
Sch.
Tennis Courts
CROFTON
BROAD MEAD
MARLD
BURNSIDE
APRIL CL.
ASTEDE PL.
WEST FIELD
CRISPIN CL.
BOWYERS CL.
ASHTEAD
POUND
WOODLANDS
Hall CT.
THE STREET
EPSOM ROAD
BERKELEY CT.
PARK
ALBERT RD.
GAYWOOD RD.
HOWARD CL.
ROOKERY HILL
OAK WAY
WOODLANDS WAY
FARM LANE
HILDERS
The Rye
The Cottage in the Park
DRIVE
ASHTEAD PARK
Island Pond
Nursery
Ashtead House
PLEASURE PIT RD.
CHERRY ORCHARD
Playing Field
Pav.
ASHTEAD PARK
City of London Freeman's Sch.
William III Gate
PAUL'S PL.
GREENSLADE AV.
Langley Bottom Wood
Langley Bottom
Meridan
GREVILLE PK. AV.
GREVILLE CT.
PADDOCKS CL.
NORTHFIELDS
LIME TREE CT.
TIMBERHILL
LEATHERHEAD ROAD
RECTORY LANE
GROVE
HATFIELD
RECTORY CL.
DENE
GRAY'S LA.
ALEXANDER GODLEY CL.
CHALK LA.
OTTWAYS LA.
19
20
58
59
60
61

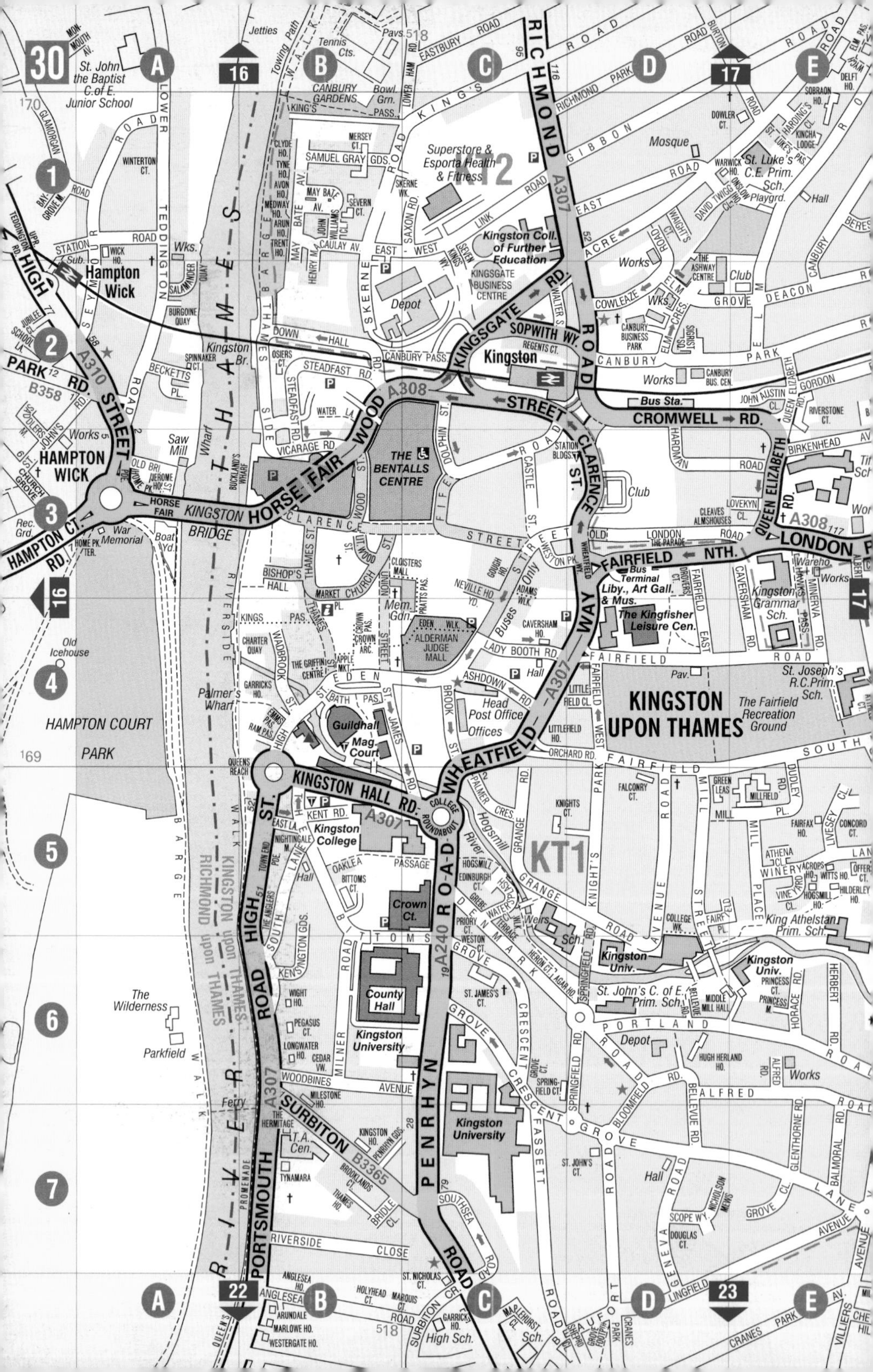
30
A
B
C
D
E
16
17
22
23
1
2
3
4
5
6
7
St. John the Baptist C.of E. Junior School
Jetties
Towing Path
Tennis Cts.
Pavs.
518
Eastbury Road
Canbury Gardens
Bowl. Grn.
King's Pass.
Lower Ham Rd.
King's Road
Richmond Road
Richmond Park Road
Burton Road
Road
Delft Ho.
Sobraon Ho.
Harding's Cl.
St. Luke's Pas.
Kincha Lodge
Dowler Ct.
Mosque
Gibbon Road
Superstore & Esporta Health & Fitness
KT2
Warwick Ho.
St. Luke's C.E. Prim. Sch.
Playgrd.
Hall
David Twigg Cl.
Onslow Rd.
Glamorgan Road
Lower Teddington Road
Winterton Ct.
Bay Grove M.
Clyde Ho.
Tyne Ho.
Avon Ho.
Medway Ho.
Arun Ho.
Trent Ho.
Mersey Ct.
Samuel Gray Gds.
May Bate Av.
May Baze Av.
John Williams Cl.
Severn Ct.
Skerne Wk.
Saxon Rd.
Henry Macaulay Av.
East - West Link Road
Kingston Coll. of Further Education
Kingsgate Business Centre
East Road
Acre Road
Waights Ct.
Works
The Ashway Centre
Club
Elm Grove
Deacon Road
Hampton Wick
Upr. Teddington Rd.
High Street
Station Road
Sub.
Wick Ho.
Wks.
Salamander Quay
Burgoine Quay
River Thames
Barge Walk
Thames Side
Depot
Kingsgate Rd.
Walter St.
Sopwith Wy.
Regents Ct.
Kingston
Cowleaze Rd.
Canbury Business Park
Elm Cres.
Sigrist Sq.
Jubilee Cl.
School La.
Park Rd.
B358
A310
Spinnaker Ct.
Kingston Br.
Becketts Pl.
Down Hall Rd.
Osiers Ct.
Steadfast Rd.
Canbury Pass
Canbury Park Road
Works
Canbury Bus. Cen.
Queen Elizabeth Rd.
Gordon Road
Bus Sta.
John Austin Cl.
Cromwell Rd.
Riverstone Ct.
Birkenhead Av.
St. John's Rd.
Church Grove
Works
Saw Mill
Wharf
Water La.
Vicarage Rd.
A308
Horse Fair
Wood St.
The Bentalls Centre
Dolphin St.
Clarence Street
Station Bldgs.
Castle Rd.
Old Bri. St.
Jerome Ho.
Home Pk. Ter.
Buckland's Wharf
Kingston Bridge
Fife Rd.
Hardman Road
Club
Lovekyn Cl.
Cleaves Almshouses
A308
London Road
Hampton Ct. Rd.
Rec. Grd
War Memorial
Boat Yd.
Thames St.
Lit. Wood St.
Street
Old London Road
The Parade
Weston Pk.
Wheatfield Wy.
Fairfield Nth.
Bus Terminal
Liby., Art Gall. & Mus.
The Kingfisher Leisure Cen.
Drovers Ct.
Fairfield East
Caversham Rd.
Kingston Grammar Sch.
Wareho.
Works
Hawks Pas.
Minerva Rd.
Albert Rd.
Bishop's Hall
Market Church St.
Union St.
Cloisters Mall
Pratts Pas.
Mem. Gdn.
Gough Ho.
Neville Ho. Yd.
Adams Wlk.
Buses Only
Old Icehouse
Kings Pas.
Crown Pas.
Crown Arc.
Eden Wlk.
Alderman Judge Mall
Caversham Ho.
Lady Booth Rd.
Charter Quay
Wadbrook St.
The Griffin Centre
Apple Mkt.
Eden Street
Ashdown Rd.
Hall
Fairfield Road
Pav.
St. Joseph's R.C.Prim. Sch.
Palmer's Wharf
Garricks Ho.
Bath Pas.
St. James Rd.
Brook St.
Head Post Office
Offices
Little Field Cl.
Fairfield West
Kingston upon Thames
The Fairfield Recreation Ground
Hampton Court Park
169
170
Emms Pas.
Ram Pas.
Guildhall
Mag. Court
Littlefield Ho.
Orchard Rd.
Fairfield South
Queens Reach
Kingston Hall Rd.
College Roundabout
Palmer Cres.
Grange Rd.
Knights Ct.
Falconry Ct.
Green Leas
Millfield
Mill Pl.
Dudley Rd.
Livesey Cl.
Fairfax Ho.
Concord Ct.
East La.
Kent Rd.
Kingston College
A307
Nightingale M.
Hogsmill River
KT1
Knight's Park
Avenue
Athena Cl.
Winery La.
Acrops Ho.
Witts Ho.
Offers Ct.
Vineyard Cl.
Hogsmill Ho.
Hilderley Ho.
Town End Pde.
Oaklea Passage
Hall
Bittoms Ct.
Crown Ct.
Edinburgh Ct.
Hogsmill Wk.
Grebe Ter.
Watersplash Cl.
Denmark Road
Weirs
Sch.
Grange Road
College Wk.
Fairfield Street
King Athelstan Prim. Sch.
The Anglers
South Lane
Kensington Gds.
Bittoms
Priory Ct.
Weston Ct.
Grove
Heron Ct.
Agar Ho.
Springfield Rd.
Kingston Univ.
Princess Ct.
Princess M.
Horace Rd.
Herbert Rd.
County Hall
Kingston University
St. James's Ct.
St. John's C. of E. Prim. Sch.
Bellevue Rd.
Middle Mill Hall
Portland Road
Wight Ho.
Pegasus Ct.
Longwater Ho.
Cedar Vw.
Milner Road
Woodbines Avenue
Grove Crescent
Grove Ct.
Springfield Ct.
Depot
Hugh Herland Ho.
Alfred Rd.
Works
Bloomfield Rd.
Alfred Road
Glenthorne Rd.
Balmoral Rd.
Milestone Ho.
The Hermitage
Surbiton Road
B3365
Kingston Ho.
Penrhyn Gds.
Penrhyn Road
A240
Kingston University
Fassett Road
St. John's Ct.
Grove Lane
Hall
Nicholson Mews
Grove Cl.
Scope Wy.
Douglas Ct.
Geneva Road
Avenue
The Wilderness
Parkfield
Ferry
T.A. Cen.
Tynamara
Brooklands Ct.
Thames Ho.
Bridle Cl.
Southsea Road
Portsmouth Road
Promenade
Riverside Close
Richmond upon Thames
Kingston upon Thames
Anglesea Ho.
Anglesea Rd.
Arundale
Marlowe Ho.
Westergate Ho.
Queen's Prom.
Holyhead Ct.
Marquis Ct.
St. Nicholas Ct.
Surbiton Cr.
Garricks Ho.
High Sch.
Marlehurst Ct.
Sch.
Beaufort Road
Cranes Park
Lingfield Av.
Cranes Park Av.
Villiers Av.
518

INDEX

Including Streets, Places & Areas, Hospitals & Hospices, Industrial Estates,
Selected Flats & Walkways, Junction Names and Selected Places of Interest.

HOW TO USE THIS INDEX

1. Each street name is followed by its Postal District (or, if outside the London Postal District, by its Posttown or Postal Locality), and then by its map reference;
   e.g. Abbots Av. *Eps* ....7H **27** is in the Epsom Posttown and is to be found in square 7H on page **27**. The page number being shown in bold type.

2. A strict alphabetical order is followed in which Av., Rd., St., etc. (though abbreviated) are read in full and as part of the street name; e.g. Alderman Judge Mall
   appears after Alder Lodge but before Alder Rd.

3. Streets and a selection of flats and walkways too small to be shown on the maps, appear in the index in *Italics* with the thoroughfare to which it is connected
   shown in brackets; e.g. Abbot's Ho. *W14* ....1J **7** *(off St Mary Abbots Ter.)*

4. Places and areas shown in the index in blue type and the map reference is to the actual map square in which the town centre or area is located and not to the
   place name shown on the map; e.g. **Acton Green 1K 5**

5. An example of a selected place of interest is Boston Manor House 2C **4**

6. An example of a hospital or hospice is ATKINSON MORLEY'S HOSPITAL 4E **18**

7. Junction names are shown in the index in bold type; e.g. **Apex Corner (Junct.) 7E 8**

8. Map references shown in brackets; e.g. Acre Rd. *King T* ....5F **17** (1D **30**) refer to entries that also appear on the large scale page **30**.

GENERAL ABBREVIATIONS

All : Alley	Ct : Court	Lit : Little	Rd : Road
App : Approach	Cres : Crescent	Lwr : Lower	Shop : Shopping
Arc : Arcade	Cft : Croft	Mc : Mac	S : South
Av : Avenue	Dri : Drive	Mnr : Manor	Sq : Square
Bk : Back	E : East	Mans : Mansions	Sta : Station
Boulevd : Boulevard	Embkmt : Embankment	Mkt : Market	St : Street
Bri : Bridge	Est : Estate	Mdw : Meadow	Ter : Terrace
B'way : Broadway	Fld : Field	M : Mews	Trad : Trading
Bldgs : Buildings	Gdns : Gardens	Mt : Mount	Up : Upper
Bus : Business	Gth : Garth	Mus : Museum	Va : Vale
Cvn : Caravan	Ga : Gate	N : North	Vw : View
Cen : Centre	Gt : Great	Pal : Palace	Vs : Villas
Chu : Church	Grn : Green	Pde : Parade	Vis : Visitors
Chyd : Churchyard	Gro : Grove	Pk : Park	Wlk : Walk
Circ : Circle	Ho : House	Pas : Passage	W : West
Cir : Circus	Ind : Industrial	Pl : Place	Yd : Yard
Clo : Close	Info : Information	Quad : Quadrant	
Comn : Common	Junct : Junction	Res : Residential	
Cotts : Cottages	La : Lane	Ri : Rise	

POSTTOWN AND POSTAL LOCALITY ABBREVIATIONS

Asht : Ashtead	*Ewe* : Ewell	*Kew* : Kew	*Surb* : Surbiton
Bedf : Bedfont	*Felt* : Feltham	*King T* : Kingston Upon Thames	*Sutt* : Sutton
Bren : Brentford	*Ham* : Ham	*Lea* : Leatherhead	*Tedd* : Teddington
Cheam : Cheam	*Hamp* : Hampton	*Mord* : Morden	*Th Dit* : Thames Ditton
Chess : Chessington	*Hamp H* : Hampton Hill	*N Mald* : New Malden	*Twic* : Twickenham
Clay : Claygate	*Hamp W* : Hampton Wick	*Oxs* : Oxshott	*W on T* : Walton-On-Thames
Dit H : Ditton Hill	*Hanw* : Hanworth	*Rich* : Richmond	*W Ewe* : West Ewell
E Mol : East Molesey	*Hin W* : Hinchley Wood	*Shep* : Shepperton	*W Mol* : West Molesey
Eps : Epsom	*Houn* : Hounslow	*S'hall* : Southall	*Whit* : Whitton
Esh : Esher	*Iswth* : Isleworth	*Sun* : Sunbury-On-Thames	*Wor Pk* : Worcester Park

---

A

Abbey Ct. *Hamp* 4F **15**
Abbey Gdns. *W6*. 3H **7**
Abbey Wlk. *W Mol* 7G **15**
Abbots Av. *Eps* 7H **27**
Abbotsbury Rd. *Mord* 2K **25**
Abbot's Ho. *W14* 1J **7**
   (off St Mary Abbots Terrace)
Abbots Mead. *Rich* 1E **16**
Abbotsmede Clo. *Twic* 6A **10**
Abbotstone Rd. *SW15* 7F **7**
Abbott Av. *SW20*. 5G **19**
Abbott Clo. *Hamp* 3D **14**
Abbotts Rd. *Sutt* 7H **25**
Abbott's Tilt. *W on T* 7D **20**
Abercorn M. *Rich* 1G **11**
Abingdon. *W14* 1J **7**
   (off Kensington Village)
Abingdon Rd. *W8* 1K **7**
Abingdon Vs. *W8* 1K **7**
Abinger Gdns. *Iswth* 1K **9**
Abinger Rd. *W4* 1C **6**
Aboyne Dri. *SW20*. 6D **18**
Acacia Av. *Bren*. 4C **4**
Acacia Dri. *Sutt*. 5K **25**
Acacia Gro. *N Mald* 7A **18**
Acacia Rd. *Hamp*. 3F **15**

A.C. Court. *Th Dit* 3B **22**
Ace Pde. *Chess* 7F **23**
Ackmar Rd. *SW6*. 5K **7**
Acorn Clo. *Hamp*. 3G **15**
Acre Rd. *King T* 5F **17** (1D **30**)
Acropolis Ho. *King T* 5E **30**
Acton Green. 1K **5**
Acuba Rd. *SW18*. 6K **13**
Adams Clo. *Surb*. 3G **23**
Adams Wlk. *King T* 6F **17** (3C **30**)
Adam Wlk. *SW6* 4F **7**
Addington Ct. *SW14* 7A **6**
Addison Bri. Pl. *W14* 1J **7**
Addison Gdns. *Surb* 1G **23**
Addison Gro. *W4*. 1B **6**
Addison Rd. *W14* 1J **7**
Addison Rd. *Tedd* 3C **16**
Addison Ter. *W4* 2A **6**
   (off Chiswick Rd.)
Adecroft Way. *W Mol* 7H **15**
Adela Av. *N Mald* 2E **24**
Adela Ho. *W6*. 2F **7**
   (off Queen Caroline St.)
Adelaide Rd. *SW18* 2K **13**
Adelaide Rd. *Rich*. 1G **11**
Adelaide Rd. *Surb* 2F **23**
Adelaide Rd. *Tedd* 3A **16**
Adelaide Rd. *W on T* 7A **20**
Adelaide Ter. *Bren* 2E **4**
Adelphi Ct. *W4* 3A **6**

Adeney Clo. *W6* 3G **7**
Adie Rd. *W6*. 1F **7**
Admark Ho. *Eps*. 4J **29**
Admiral Ho. *Tedd* 1B **16**
Admiralty Rd. *Tedd* 3A **16**
Admiralty Way. *Tedd* 3A **16**
Agar Clo. *Surb* 6G **23**
Agar Rd. *King T*. 6C **30**
Agate Rd. *W6*. 1F **7**
Agates La. *Asht* 7E **28**
Ailsa Av. *Twic* 2B **10**
Ailsa Rd. *Twic*. 2C **10**
Aintree Est. *SW6* 4H **7**
   (off Aintree St.)
Aintree St. *SW6*. 4H **7**
Airedale Av. *W4*. 1C **6**
Airedale Av. S. *W4*. 2C **6**
Air Pk. Way. *Felt* 6A **8**
Aisgill Av. *W14* 2J **7**
   (in two parts)
Aiten Pl. *W6* 1D **6**
Akehurst St. *SW15* 3D **12**
Akerman Rd. *Surb*. 3D **22**
Alan Rd. *SW19* 2H **19**
Albany Clo. *SW14* 1J **11**
Albany M. *King T*. 3E **16**
Albany Pde. *Bren*. 3F **5**
Albany Pas. *Rich* 2F **11**
Albany Reach. *Th Dit* 2A **22**

Albany Rd. *SW19* 2K **19**
Albany Rd. *Bren* 3E **4**
Albany Rd. *N Mald* 1A **24**
Albany Rd. *Rich* 2G **11**
Albany Ter. *Rich* 2G **11**
   (off Albany Pas.)
Albemarle. *SW19* 6G **13**
Albemarle Av. *Twic* 5E **8**
Albemarle Gdns. *N Mald* 1A **24**
Albert Dri. *SW19*. 6H **13**
Albert Gro. *SW20* 5G **19**
Albert Rd. *Asht*. 7G **29**
Albert Rd. *Hamp H* 2H **15**
Albert Rd. *Houn*. 1F **9**
Albert Rd. *King T* 6G **17** (3E **30**)
Albert Rd. *N Mald*. 1B **24**
Albert Rd. *Rich* 2F **11**
Albert Rd. *Tedd* 3A **16**
Albert Rd. *Twic*. 5A **10**
Albion Ct. *W6* 1E **6**
   (off Albion Pl.)
Albion Gdns. *W6*. 1E **6**
Albion M. *W6*. 1E **6**
Albion Pl. *W6*. 1E **6**
Albion Rd. *Houn* 1F **9**
Albion Rd. *King T* 5K **17**
Albion Rd. *Twic*. 5K **9**
Albury Av. *Iswth*. 4A **4**
Albury Clo. *Eps*. 5J **27**
Albury Clo. *Hamp* 3G **15**

Albury Rd.—Aylward Rd.

Albury Rd. Chess 2F 27
Alcorn Clo. Sutt. 6K 25
Aldensley Rd. W6 1E 6
Alderbury Rd. SW13 3D 6
Alder Lodge. SW6 5F 7
Alderman Judge Mall. King T. 6F 17 (4C 30)
Alder Rd. SW14 7A 6
Aldersbrook Dri. King T. 3G 17
Alders Gro. E Mol 2J 21
Alders, The. Felt 1D 14
Alderville Rd. SW6 6J 7
Aldrich Gdns. Sutt 7J 25
Aldridge Ri. N Mald 4B 24
Alexa Ct. W8 1K 7
Alexander Clo. Twic 6K 9
Alexander Godley Clo. Asht 7G 29
Alexandra Av. W4 4A 6
Alexandra Av. Sutt. 7K 25
Alexandra Clo. W on T. 6A 20
Alexandra Dri. Surb 4H 23
Alexandra Gdns. W4 4B 6
Alexandra Ho. W6 2F 7 (off Queen Caroline St.)
Alexandra M. SW19 3J 19
Alexandra Rd. SW14 7A 6
Alexandra Rd. SW19 3J 19
Alexandra Rd. Bren 3E 4
Alexandra Rd. King T. 4H 17
Alexandra Rd. Rich 6G 5
Alexandra Rd. Th Dit 2A 22
Alexandra Rd. Twic 3D 10
Alexandra Sq. Mord 2K 25
Alexandra Way. Eps 7H 27
Alfred Clo. W4 1A 6
Alfred Rd. Felt 6B 8
Alfred Rd. King T 7F 17 (6D 30)
Alfreton Clo. SW19 7G 13
Alfriston. Surb 3G 23
Alfriston Clo. Surb 2G 23
Algar Clo. Iswth 7B 4
Algar Rd. Iswth 7B 4
Alice Gilliatt Ct. W14 3J 7 (off Star Rd.)
Alice M. Tedd 2A 16
Alice Way. Houn 1G 9
Alkerden Rd. W4 2B 6
Allan Clo. N Mald 2A 24
Allbrook Clo. Tedd 2K 15
Allen Clo. Sun 5A 14
Allenford Ho. SW15 3C 12 (off Tunworth Cres.)
Allen Rd. Sun 5A 14
Allen St. W8 1K 7
Allestree Rd. SW6 4H 7
Allgood Clo. Mord 3G 25
Allington Clo. SW19 2G 19
All Saints Pas. SW18 2K 13
Alma Ho. Bren 3F 5
Alma Rd. Esh 5K 21
Alma Ter. W8 1K 7
Almer Rd. SW20 4D 18
Almond Gro. Bren 4C 4
Almshouse La. Chess 5D 26
Alpha Pl. Mord 5G 25
Alpha Rd. Surb 3G 23
Alpha Rd. Tedd 2J 15
Alpine Av. Surb 6K 23
Alpine Rd. W on T 4A 20
Alric Av. N Mald 7B 18
Alsom Av. Wor Pk 7D 24
Alston Clo. Surb 4C 22
Alt Gro. SW19 4J 19
Alton Clo. Iswth 6A 4
Alton Gdns. Twic 4J 9
Alton Rd. SW15 5D 12
Alton Rd. Rich 1F 11
Alverstone Av. SW19 6K 13
Alverstone Rd. N Mald 1C 24
Alway Av. Eps 2K 27
Alwyn Av. W4 2A 6
Alwyne Rd. SW19 3J 19
Amalgamated Dri. Bren 3B 4
Amberley Way. Houn 2B 8
Amberley Way. Mord 4J 25
Amberside Clo. Iswth 3J 9
Amberwood Ri. N Mald 3B 24
Ambleside Av. W on T 5B 20
Amelia Ho. W6 2F 7 (off Queen Caroline St.)
Amenity Way. Mord 4F 25
American International University of London, The. 4F 11 (in Richmond University)
Amerland Rd. SW18 2J 13
Amesbury Clo. Wor Pk 5F 25
Amesbury Rd. Felt 6C 8
Amhurst Gdns. Iswth 6B 4
Amis Av. Eps 3J 27
Amity Gro. SW20 5E 18
Amor Rd. W6 1F 7
Amyand Cotts. Twic 3C 10
Amyand La. Twic 4C 10
Amyand Pk. Gdns. Twic 4C 10
Amyand Pk. Rd. Twic 4B 10
Ancaster Cres. N Mald 3D 24
Anchorage Clo. SW19 2K 19
Ancill Clo. W6 3H 7
Anderson Clo. Eps 1J 29
Anderson Clo. Sutt 5K 25
Anderson Pl. Houn 1G 9
Andover Rd. Twic 5J 9
Andrews Clo. Wor Pk 6G 25
Angelfield. Houn 1G 9
Angel M. SW15 4D 12
Angel Rd. Th Dit 4B 22
Angel Wlk. W6 1F 7
Anglers Clo. Rich 1D 16
Anglers Reach. Surb 2E 22
Anglers, The. King T 5B 30
Anglesea Ho. King T 7B 30
Anglesea Rd. King T 1E 22 (7B 30)
Angus Clo. Chess 2H 27
Anlaby Rd. Tedd 2K 15
Annandale Rd. W4 2B 6
Anne Boleyn's Wlk. King T 2F 17
Anne Case M. N Mald 7A 18
Anne Way. W Mol 1G 21
Anselm Rd. SW6 3K 7
Anstice Clo. W4 4B 6
Anton Cres. Sutt 7K 25
Antrobus Rd. W4 1K 5
Anvil Rd. Sun 7A 14
Aperdele Rd. Lea 7B 28
Apex Corner. (Junct.) 7E 8
Apex Retail Pk. Felt 7E 8
Appleby Clo. Twic 6J 9
Apple Gth. Bren 1E 4
Applegarth. Clay 2A 26
Apple Gro. Chess 1F 27
Apple Mkt. King T 6E 16 (4B 30)
Appleton Gdns. N Mald 3D 24
Approach Rd. SW20 6F 19
Approach Rd. W Mol 2F 21
April Clo. Asht 7G 29
April Clo. Felt 7A 8
Apsley Ho. Houn 1E 8
Apsley Rd. N Mald 7K 17
Aquarius. Twic 5C 10
Arabella Dri. SW15 1B 12
Aragon Av. Th Dit 2A 22
Aragon Ct. E Mol 1H 21
Aragon Rd. King T 2F 17
Aragon Rd. Mord 3G 25
Arbrook Hall. Clay 3A 26
Arcade Pde. Chess 2E 26
Archdale Pl. King T 7J 17
Archel Rd. W14 3J 7
Archer Clo. King T 4F 17
Archer M. Hamp H 3H 15
Arch Rd. W on T 7C 20
Archway Clo. SW19 7K 13
Archway M. SW15 1H 13 (off Putney Bri. Rd.)
Archway St. SW13 7B 6
Ardleigh Gdns. Sutt 4K 25
Ardmay Gdns. Surb 2F 23
Ardrossan Gdns. Wor Pk 7D 24
Ardshiel Clo. SW15 7G 7
Argent Ct. Chess 7H 23
Argon M. SW6 4K 7
Argyle Av. Houn 3F 9 (in two parts)
Argyle Pl. W6 1E 6
Argyle Rd. Houn 2G 9
Argyll Mans. W14 1H 7 (off Hammersmith Rd.)
Arklow M. Surb 6F 23
Ark, The. W6 2G 7 (off Talgarth Rd.)
Arlesey Clo. SW15 2H 13
Arlington Clo. Sutt 6K 25
Arlington Clo. Twic 3D 10
Arlington Gdns. W4 2K 5
Arlington M. Twic 3C 10
Arlington Pk. Mans. W4 2K 5 (off Sutton La. N.)
Arlington Pas. Tedd 1A 16
Arlington Rd. Rich 6E 10
Arlington Rd. Surb 3E 22
Arlington Rd. Tedd 1A 16
Arlington Rd. Twic 3D 10
Armadale Rd. SW6 4K 7
Armadale Rd. Felt 2A 8
Armfield Clo. W Mol 2E 20
Armoury Way. SW18 2K 13
Armstrong Rd. Felt 2D 14
Arnal Cres. SW18 4H 13
Arndale Wlk. SW18 2K 13
Arnewood Clo. SW15 5D 12
Arnison Rd. E Mol 1J 21
Arnold Cres. Iswth 2J 9
Arnold Dri. Chess 3E 26
Arnold Mans. W14 3J 7 (off Queen's Club Gdns.)
Arnott Clo. W4 1A 6
Arosa Rd. Twic 3E 10 (in two parts)
Arragon Rd. SW18 5K 13
Arragon Rd. Twic 4B 10
Arran Way. Esh 6G 21
Arrow Ct. SW5 1K 7 (off W. Cromwell Rd.)
Arterberry Rd. SW20 4F 19
Arthur Henderson Ho. SW6 6J 7 (off Fulham Rd.)
Arthur Rd. SW19 2J 19
Arthur Rd. King T 4H 17
Arthur Rd. N Mald 2E 24
Arundale. King T 7B 30
Arundel Av. Mord 1J 25
Arundel Clo. Hamp H 2G 15
Arundel Ct. SW13 3E 6 (off Arundel Ter.)
Arundel Mans. SW6 5J 7 (off Kelvedon Rd.)
Arundel Rd. Houn 1B 8
Arundel Rd. King T 6J 17
Arundel Ter. SW13 3E 6
Arun Ho. King T 5E 16 (1B 30)
Asbridge Ct. W6 1E 6 (off Dalling Rd.)
Ashbourne Gro. W4 2B 6
Ashbourne Ter. SW19 4J 19
Ashburnham Pk. Esh 7H 21
Ashburnham Rd. Rich 7C 10
Ashburton Enterprise Cen. SW15 3F 13
Ashby Av. Chess 3H 27
Ash Clo. N Mald 6A 18
Ashcombe Av. Surb 4E 22
Ashcombe Rd. SW19 2K 19
Ashcombe Sq. N Mald 7K 17
Ashcombe St. SW6 6K 7
Ash Ct. SW19 4H 19
Ash Ct. Eps 1K 27
Ashcroft Rd. Chess 7G 23
Ashcroft Sq. W6 1F 7
Ashdale Clo. Twic 4H 9
Ashdale Way. Twic 4G 9
Ashdown Pl. Th Dit 4B 22
Ashdown Rd. King T 6F 17 (4C 30)
Ashe Ho. Twic 3E 10
Ashen Gro. SW19 7K 13
Ashfield Av. Felt 5A 8
Ashfield Clo. Rich 5F 11
Ashfield Ho. W14 2J 7 (off W. Cromwell Rd.)
Ashington Rd. SW6 6J 7
Ashleigh Ct. W5 1E 4 (off Murray Rd.)
Ashleigh Rd. SW14 7B 6
Ashley Av. Eps 2K 29
Ashley Av. Mord 2K 25
Ashley Cen. Eps 2K 29
Ashley Dri. Twic 4G 9
Ashley Dri. W on T 7A 20
Ashley Gdns. Rich 6E 10
Ashley Park. 7A 20
Ashley Pk. Rd. W on T 7A 20
Ashley Rd. Hamp 5F 15
Ashley Rd. Rich 7F 5
Ashley Rd. Th Dit 3A 22
Ashley Sq. Eps 2K 29 (off Ashley Cen.)
Ashlone Rd. SW15 7F 7
Ashlyns Way. Chess 3E 26
Ashmount Ter. W5 1E 4
Ashridge Way. Mord 7J 19
Ashridge Way. Sun 3A 14
Ash Rd. Sutt 4H 25
Ashtead. 7G 29
Ashtead Gap. Lea 5C 28
Ashtead Park. 7H 29
Ashtead Woods Rd. Asht 6D 28
Ashton Gdns. Houn 1E 8
Ash Tree Clo. Surb 6F 23
Ashurst. Eps 3K 29
Ashway Cen., The. King T 5F 17 (2D 30)
Askill Dri. SW15 2H 13
Aspen Gdns. W6 2E 6
Aspenlea Rd. W6 3G 7
Aspen Way. Felt 7A 8
Assher Rd. W on T 7D 20
Astede Pl. Asht 7G 29
Astley Ho. SW13 3E 6 (off Wyatt Dri.)
Aston Clo. Asht 7D 28
Aston Rd. SW20 6F 19
Astonville St. SW18 5K 13
Astor Clo. King T 3J 17
Astrid Ho. Felt 6B 8
Atalanta St. SW6 4G 7
Atbara Rd. Tedd 3C 16
Atcham Rd. Houn 1H 9
Athelstan Ho. King T 1G 23 (off Athelstan Rd.)
Athelstan Rd. King T 1G 23
Athena Clo. King T 7G 17 (5E 30)
Atherley Way. Houn 4E 8
Atherton Dri. SW19 1G 19
Atherton Rd. SW13 4D 6
ATKINSON MORLEY'S HOSPITAL. 4E 18
Atney Rd. SW15 1H 13
Attfield Ct. King T 4E 30
Atwell Pl. Th Dit 5A 22
Atwood Av. Rich 6H 5
Atwood Ho. W14 1J 7 (off Beckford Clo.)
Atwood Rd. W6 1E 6
Atwoods All. Rich 5H 5
Aubyn Sq. SW15 2D 12
Auckland Rd. King T 1G 23
Audley Ct. Twic 7J 9
Audley Firs. W on T 7B 20
Audley Rd. Rich 2G 11
Audric Clo. King T 5H 17
Augusta Clo. W Mol 1E 20
Augusta Rd. Twic 6H 9
Augustine Rd. W14 1G 7
Augustus Clo. Bren 4D 4
Augustus Ct. Felt 1E 14
Augustus Rd. SW19 5G 13
Auriol Clo. Wor Pk 7B 24
Auriol Pk. Rd. Wor Pk 7B 24
Auriol Rd. W14 1H 7
Austin Clo. Twic 2D 10
Austyn Gdns. Surb 5J 23
Avalon Clo. SW20 6H 19
Avebury Pk. Surb 4E 22
Avebury Rd. SW19 5J 19
Avening Rd. SW18 4K 13
Avening Ter. SW18 4K 13
Avenue Elmers. Surb 2F 23
Avenue Gdns. SW14 7B 6
Avenue Gdns. Tedd 4A 16
Avenue Pde. Sun 7A 14
Avenue Rd. SW20 6E 18
Avenue Rd. Bren 2D 4
Avenue Rd. Eps 3K 29
Avenue Rd. Hamp 5G 15
Avenue Rd. Iswth 5A 4
Avenue Rd. King T 7F 17 (5D 30)
Avenue Rd. N Mald 1B 24
Avenue Rd. Tedd 4B 16
Avenue S. Surb 4H 23
Avenue Ter. N Mald 7K 17
Avenue, The. W4 1B 6
Avenue, The. Clay 2A 26
Avenue, The. Hamp 3E 14
Avenue, The. Houn 2G 9
Avenue, The. Oxs 7A 26
Avenue, The. Rich 6G 5
Avenue, The. Sun 5A 14
Avenue, The. Surb 3G 23
Avenue, The. Twic 2C 10
Avenue, The. Wor Pk 6C 24
Averill St. W6 3G 7
Avern Gdns. W Mol 1G 21
Avern Rd. W Mol 1G 21
Avon Clo. Wor Pk 6D 24
Avondale Av. Esh 7B 22
Avondale Av. Wor Pk 5C 24
Avondale Gdns. Houn 2E 8
Avondale Rd. SW14 7B 6
Avondale Rd. SW19 2K 19
Avon Ho. W14 1J 7 (off Kensington Village)
Avon Ho. King T 5E 16 (1B 30)
Avonmore Gdns. W14 1J 7
Avonmore Pl. W14 1H 7
Avonmore Rd. W14 1H 7
Axwood. Eps 4K 29
Aylett Rd. Iswth 6A 4
Ayliffe Clo. King T 6H 17
Aylward Rd. SW20 6J 19

32 A-Z Richmond & Kingston

Aynhoe Mans.—Blackett St.

Aynhoe Mans. W14 1G 7
(off Aynhoe Rd.)
Aynhoe Rd. W14 1G 7
Aynscombe Path. SW14 6K 5
Aysgarth Ct. Sutt 7K 25

B

Babbacombe Clo. Chess 2E 26
Baber Bri. Cvn. Site. Felt 2B 8
Baber Dri. Felt 3B 8
Back La. Bren 3E 4
Back Rd. Tedd 4K 15
Baden Powell Clo. Surb 6G 23
Badger Clo. Felt 7A 8
Badgers Copse. Wor Pk 6C 24
Badgers Wlk. N Mald 6B 18
Bagley's La. SW6 5K 7
Bagot Clo. Asht 5G 29
Bahram Rd. Eps 6K 27
Bailey Cres. Chess 4D 26
Bailey M. W4 3J 5
(off Hervert Gdns.)
Bainbridge Clo. Ham 2F 17
Bakers End. SW20 6H 19
Bakery M. Surb 5H 23
Bakewell Way. N Mald 6B 18
Balaclava Rd. Surb 4D 22
Balfern Gro. W4 2B 6
Balfour Pl. SW15 1E 12
Balgowan Clo. N Mald 2B 24
Ballard Clo. King T 4A 18
Balmain Lodge. Surb 1F 23
(off Cranes Pk. Av.)
Balmoral Clo. SW15 3G 13
Balmoral Ct. Wor Pk 6E 24
Balmoral Cres. W Mol 7F 15
Balmoral Ho. W14 1H 7
(off Windsor Way)
Balmoral Rd. King T 1G 23 (7E 30)
Balmoral Rd. Wor Pk 7E 24
Balmuir Gdns. SW15 1F 13
Balquhain Clo. Asht 6E 28
Baltic Cen., The. Bren 2E 4
Balvernie Gro. SW18 4J 13
Balvernie M. SW18 4K 13
Bangalore St. SW15 7F 7
Banim St. W6 1E 6
Bank La. SW15 2B 12
Bank La. King T 4F 17
Banksian Wlk. Iswth 5A 4
Bankside Clo. Iswth 1A 10
Bankside Dri. Th Dit 5C 22
Barb M. W6 1F 7
Barclay Clo. SW6 4K 7
Barclay Rd. SW6 4K 7
Bardolph Rd. Rich 7G 5
Bargate Clo. N Mald 4D 24
Barge Wlk. E Mol 7J 15
Barge Wlk. Hamp W 5E 16 (2B 30)
Barge Wlk. King T 7E 16 (5A 30)
Barham Rd. SW20 4D 18
Barker Clo. N Mald 1J 23
Barkston Gdns. SW5 1K 7
Barley Mow Pas. W4 2A 6
Barlow Rd. Hamp 4F 15
Barnard Clo. Sun 4A 14
Barnard Gdns. N Mald 1D 24
Barn Clo. Eps 4K 29
Barneby Clo. Twic 5K 9
Barn Elms Pk. SW15 7F 7
Barnes 6C 6
Barnes All. Hamp 6H 15
Barnes Av. SW13 4D 6
Barnes End. N Mald 2D 24
Barnes High St. SW13 6C 6
BARNES HOSPITAL 7B 6
Barnett Wood La.
Lea & Asht 7D 28
Barnfield. N Mald 3B 24
Barnfield Av. King T 1E 16
Barnfield Gdns. King T 1F 17
Barnlea Clo. Felt 6D 8
Barnsbury Clo. N Mald 1K 23
Barnsbury Cres. Surb 5K 23
Barnsbury La. Surb 6J 23
Barnscroft. SW20 7E 18
Barons Court 2H 7
Baron's Ct. Rd. W14 2H 7
Barons Court Theatre 2H 7
(off Comeragh Rd.)
Baronsfield Rd. Twic 3C 10
Barons Ga. W4 1K 5
Baron's Hurst. Eps 5K 29
Barons Keep. W14 2H 7
Baronsmead Rd. SW13 5D 6
Barons, The. Twic 3C 10
Barrack Rd. Houn 1C 8
Barrington Rd. Sutt 6K 25
Barrosa Dri. Hamp 5F 15
Barrowgate Rd. W4 2K 5
Barrowhill. Wor Pk 6B 24
Barrowhill Clo. Wor Pk 6B 24
Barrow Wlk. Bren 3D 4
Barton Ct. W14 2H 7
(off Baron's Ct. Rd.)
Barton Grn. N Mald 6A 18
Barton Rd. W14 2H 7
Barwell Bus Pk. Chess 4E 26
Basden Gro. Felt 6F 9
Basden Ho. Felt 6F 9
Basildene Rd. Houn 1C 8
Basing Clo. Th Dit 4A 22
Basingfield Rd. Th Dit 4A 22
Basing Way. Th Dit 4A 22
Basuto Rd. SW6 5K 7
Batavia Clo. Sun 5A 14
Batavia Rd. Sun 5A 14
Bathgate Rd. SW19 7G 13
Bath Pas. King T 6E 16 (4B 30)
Bath Pl. W6 2F 7
(off Fulham Pal. Rd.)
Bath Rd. W4 1B 6
Bath Rd. Houn 1F 9
Baths App. SW6 4J 7
Bathurst Av. SW19 5K 19
Baulk, The. SW18 4K 13
Baygrove M.
Hamp W 5D 16 (1A 30)
Bayleaf Clo. Hamp H 2J 15
Bayliss M. Twic 4B 10
Bayonne Rd. W6 3H 7
Bazalgette Clo. N Mald 2A 24
Bazalgette Gdns. N Mald 2A 24
Beach Gro. Felt 6F 9
Beach Ho. SW5 2K 7
(off Philbeach Gdns.)
Beach Ho. Felt 6F 9
Beaconsfield Clo. W4 2K 5
Beaconsfield Rd. W4 1A 6
Beaconsfield Rd. Clay 4A 26
Beaconsfield Rd. N Mald 6A 18
Beaconsfield Rd. Surb 4G 23
Beaconsfield Rd. Twic 3C 10
Beaconsfield Wlk. SW6 5J 7
Beadon Rd. W6 1F 7
Beaford Gro. SW20 7H 19
Beagle Clo. Felt 1A 14
Beard Rd. King T 2G 17
Beard's Hill. Hamp 5F 15
Beard's Hill Clo. Hamp 5F 15
Bearfield Rd. King T 4F 17
Bear Rd. Felt 1C 14
Beatrice Ho. W6 2F 7
(off Queen Caroline St.)
Beatrice Rd. Rich 2G 11
Beauchamp Rd. Twic 4B 10
Beauchamp Rd.
W Mol & E Mol 2G 21
Beauchamp Ter. SW15 7E 6
Beauclerc Ct. Sun 6B 14
Beauclerk Clo. Felt 5A 8
Beaufort Clo. SW15 4E 12
Beaufort Ct. Rich 1D 16
Beaufort M. SW6 3J 7
Beaufort Rd. King T 1F 23 (7D 30)
Beaufort Rd. Rich 1D 16
Beaufort Rd. Twic 4D 10
Beaulieu Clo. Houn 2E 8
Beaulieu Clo. Twic 3E 10
Beaulieu Pl. W4 1K 5
Beaumont. W14 1J 7
(off Kensington Village)
Beaumont Av. W14 2J 7
Beaumont Av. Rich 7G 5
Beaumont Clo. King T 4H 17
Beaumont Ct. W4 2K 5
Beaumont Cres. W14 2J 7
Beaumont Pl. Iswth 2A 10
Beaumont Rd. SW19 4H 13
Beaumont Rd. W4 1K 5
Beaver Clo. Hamp 5G 15
Beavers Cres. Houn 1B 8
Beavers La. Houn 1B 8
Beavor Gro. W6 2D 6
(off Beavor La.)
Beavor La. W6 2D 6
Bechtel Ho. W6 1G 7
(off Hammersmith Rd.)
Becketts Clo. Felt 3A 8
Becketts Pl.
Hamp W 5E 16 (2A 30)
Beckford Clo. W14 1J 7
Bective Pl. SW15 1J 13
Bective Rd. SW15 1J 13
Bedfont La. Felt 5A 8
Bedford Clo. W4 3B 6
Bedford Corner. W4 1B 6
(off South Pde.)
Bedford Park 1A 6
Bedford Pk. Corner. W4 1B 6
Bedford Pk. Mans. W4 1A 6
Bedford Pas. SW6 4H 7
(off Dawes Rd.)
Bedford Rd. W4 1A 6
Bedford Rd. Twic 7J 9
Bedford Rd. Wor Pk 6F 25
Bedgebury Gdns. SW19 6H 13
Bedster Gdns. W Mol 6G 15
Beech Av. Bren 4C 4
Beech Clo. SW15 4D 12
Beech Clo. SW19 3F 19
Beech Clo. Sun 6C 14
Beech Clo. W on T 7B 20
Beech Ct. Surb 4E 22
Beechcroft Av. N Mald 5K 17
Beechcroft Rd. SW14 7K 5
Beechcroft Rd. Chess 7G 23
Beechen Cliff Way. Iswth 6A 4
Beeches Rd. Sutt 5H 25
Beech Gro. N Mald 7A 18
Beechmore Gdns. Sutt 6G 25
Beechrow. Ham 1F 17
Beech Way. Twic 7F 9
Beechwood Av. Rich 5H 5
Beechwood Av. Sun 3A 14
Beechwood Clo. Surb 4D 22
Beechwood Ct. W4 3A 6
Beechwood Ct. Sun 3A 14
Beechwood Gro. Surb 4D 22
Beecot La. W on T 6B 20
Beeston Way. Felt 3B 8
Begonia Pl. Hamp 3F 15
Beldham Gdns. W Mol 6G 15
Belgrade Rd. Hamp 5G 15
Belgrave Ct. W4 2K 5
Belgrave Cres. Sun 5A 14
Belgrave Rd. SW13 4C 6
Belgrave Rd. Houn 1E 8
Belgrave Rd. Sun 5A 14
Belgravia M. King T 1E 22
Bellamy Clo. W14 2J 7
Bell Dri. SW18 4H 13
Bellevue Rd. SW13 6D 6
Bellevue Rd. King T 7F 17 (6D 30)
(in two parts)
Bell Ind. Est. W4 1K 5
Bell Junct. Houn 1G 9
Bell La. Twic 5B 10
Bell Rd. E Mol 2J 21
Bell Rd. Houn 1G 9
Bells All. SW6 6K 7
Belmont Av. N Mald 1D 24
Belmont Gro. W4 1A 6
Belmont M. SW19 6G 13
Belmont Rd. W4 1A 6
Belmont Rd. Twic 6J 9
Belmont Ter. W4 1A 6
Beloe Clo. SW15 1D 12
Beltane Dri. SW19 7G 13
Beltran Rd. SW6 6K 7
Belvedere Av. SW19 2H 19
Belvedere Clo. Tedd 2K 15
Belvedere Ct. SW15 1F 13
Belvedere Dri. SW19 2H 19
Belvedere Gdns. W Mol 2E 20
Belvedere Gro. SW19 2H 19
Belvedere Sq. SW19 2H 19
Bemish Rd. SW15 7G 7
Bench, The. Rich 7D 10
Bendemeer Rd. SW15 7G 7
Benham Clo. Chess 3D 26
Benham Gdns. Houn 2E 8
Bennett Clo. Hamp W 5D 16
Bennett St. W4 3B 6
Benn's All. Hamp 6G 15
Benns Wlk. Rich 1F 11
(off Michelsdale Dri.)
Bensbury Clo. SW15 4E 12
Benson Clo. Houn 1F 9
Bentalls Cen., The.
King T 6E 16 (3B 30)
Beresford Av. Surb 5J 23
Beresford Av. Twic 3D 10
Beresford Gdns. Houn 2E 8
Beresford Rd.
King T 5G 17 (1E 30)
Beresford Rd. N Mald 1K 23
Berestede Rd. W4 2C 6
Berkeley Clo. Bren 3B 4
Berkeley Clo. King T 4F 17
Berkeley Clo. Twic 7K 9
(off Wellesley Rd.)
Berkeley Ct. Asht 7G 29
Berkeley Ct. Surb 4E 22
Berkeley Dri. W Mol 7E 14
Berkeley Gdns. Clay 3B 26
Berkeley Ho. Bren 3E 4
(off Albany Rd.)
Berkeley Pl. SW19 3G 19
Berkeley Rd. SW13 5D 6
Berkely Clo. Sun 7B 14
Bernard Gdns. SW19 2J 19
Berry Ct. Houn 2E 8
Berrylands 3H 23
Berrylands. SW20 7F 19
Berrylands. Surb 3G 23
Berrylands Rd. Surb 3G 23
Berry Meade. Asht 6G 29
Bertram Cotts. SW19 4K 19
Bertram Rd. King T 4H 17
Berwyn Rd. Rich 1J 11
Beryl Rd. W6 2G 7
Berystede. King T 4J 17
Bessant Dri. Rich 5H 5
Bessborough Rd. SW15 5D 12
Betley Ct. W on T 7A 20
Bettridge Rd. SW6 6J 7
Betts Way. Surb 5C 22
Beulah Rd. SW19 4J 19
Bevan Ho. Twic 3E 10
Beverley Av. SW20 5C 18
Beverley Av. Houn 1E 8
Beverley Clo. SW13 6D 6
Beverley Clo. Chess 1D 26
Beverley Cotts. SW15 7B 12
Beverley Ct. W4 2K 5
Beverley Ct. Houn 1E 8
Beverley Gdns. SW13 7C 6
Beverley Gdns. Wor Pk 5D 24
Beverley La. SW15 7C 12
Beverley La. King T 4B 18
Beverley Path. SW13 6C 6
Beverley Rd. SW13 7C 6
Beverley Rd. W4 2C 6
Beverley Rd. King T 5D 16
Beverley Rd. N Mald 1D 24
Beverley Rd. Wor Pk 6F 25
Beverley Trad. Est. Mord 4G 25
Beverley Way.
SW20 & N Mald 5C 18
Bexhill Clo. Felt 6D 8
Bexhill Rd. SW14 7K 5
Bicester Rd. Rich 7H 5
Bideford Clo. Felt 7E 8
Biggin Hill Clo. King T 2D 16
Biggs Row. SW15 7G 7
Billockby Clo. Chess 3G 27
Binley Ho. SW15 3C 12
Binns Rd. W4 2B 6
Binns Ter. W4 2B 6
Birch Clo. Bren 4C 4
Birch Clo. Tedd 2B 16
Birches, The. Houn 4E 8
Birchington Rd. Surb 4G 23
Birch Rd. Felt 2C 14
Birchwood Clo. Mord 1K 25
Birchwood Gro. Hamp 3F 15
Birchwood La. Esh & Oxs 6A 26
Bird Wlk. Twic 5E 8
Birdwood Clo. Tedd 1K 15
Birkbeck Rd. W5 1D 4
Birkenhead Av.
King T 6G 17 (3E 30)
Biscay Rd. W6 2G 7
Bishop Ct. Rich 7F 5
Bishop Fox Way. W Mol 1E 20
Bishop King's Rd. W14 1H 7
Bishop's Av. SW6 6G 7
Bishops Clo. W4 2K 5
Bishops Clo. Rich 7E 10
Bishop's Clo. Sutt 7K 25
Bishop's Gro. Hamp 1E 14
Bishops Gro. Cvn. Site.
Hamp 1F 15
Bishop's Hall. King T 6E 16 (3B 30)
Bishop's Mans. SW6 6G 7
(in two parts)
Bishop's Pk. Rd. SW6 6G 7
Bishops Rd. SW6 5H 7
Bisley Clo. Wor Pk 5F 25
Bison Ct. Felt 4A 8
Bittoms Ct. King T 7E 16 (5B 30)
Bittoms, The. King T 7E 16 (5B 30)
(in two parts)
Blackett St. SW15 7G 7

Blackford's Path. SW15 4D 12
Black Lion La. W6 1D 6
Black Lion M. W6 1D 6
Blackmore's Gro. Tedd 3B 16
Blacksmith Clo. Asht 7G 29
Blacks Rd. W6 2F 7
Blade M. SW15 1J 13
Blades Ct. SW15 1J 13
Blades Ct. W6 2E 6 (off Lower Mall)
Blagdon Rd. N Mald 1C 24 (in two parts)
Blagdon Wlk. Tedd 3D 16
Blair Av. Esh 6H 21
Blakeden Dri. Clay 3A 26
Blake Gdns. SW6 5K 7
Blakeney Clo. Eps 7K 27
Blakes Av. N Mald 2C 24
Blakes La. N Mald 2C 24
Blakesley Wlk. SW20 6J 19
Blakes Ter. N Mald 2D 24
Blakewood Clo. Felt 1B 14
Blanchard Ho. Twic 3E 10 (off Clevedon Rd.)
Blandford Av. Twic 5G 9
Blandford Rd. Tedd 2J 15
Blenheim Clo. SW20 7F 19
Blenheim Gdns. King T 4J 17
Blenheim Ho. Houn 1F 9
Blenheim Rd. SW20 7F 19
Blenheim Rd. W4 1B 6
Blenheim Rd. Sutt 7K 25
Blenheim Way. Iswth 5B 4
Blincoe Clo. SW19 6G 13
Blondin Av. W5 1D 4
Bloomfield Rd. King T 1F 23 (7D 30)
Bloom Pk. Rd. SW6 4J 7
Bloomsbury Clo. Eps 6K 27
Bloxham Cres. Hamp 4E 14
Blue Anchor All. Rich 1F 11
Bluefield Clo. Hamp 2F 15
Blyth Clo. Twic 3A 10
Blythe Rd. W14 1G 7 (in two parts)
Boars Head Yd. Bren 4E 4
Bockhampton Rd. King T 4G 17
Boddicott Clo. SW19 6H 13
Boddington Ho. SW13 3E 6 (off Wyatt Dri.)
Bodicea M. Houn 3E 8
Bodley Clo. N Mald 2B 24
Bodley Rd. N Mald 3A 24
Bodmin St. SW18 5K 13
Bodnant Gdns. SW20 7D 18
Boileau Rd. SW13 4D 6
Boleyn Dri. W Mol 7E 14
Bollo La. W3 & W4 1J 5
Bolney Way. Felt 7D 8
Bolton Clo. Chess 3E 26
Bolton Gdns. Tedd 3B 16
Bolton Rd. W4 4K 5
Bolton Rd. Chess 3E 26
Bond Rd. Surb 6G 23
Bond St. W4 1A 6
Bonner Hill Rd. King T 6G 17 (in two parts)
Bonser Rd. Twic 6A 10
Bordesley Rd. Mord 2K 25
Bordeston Ct. Bren 4D 4 (off Augustus Clo.)
Bordon Wlk. SW15 4D 12
Borland Rd. Tedd 4C 16
Borneo St. SW15 7F 7
Borough Rd. Iswth 5A 4
Borough Rd. King T 5H 17
Boscombe Rd. SW19 5K 19
Boscombe Rd. Wor Pk 5F 25
Boston Bus. Pk. W7 1A 4
Boston Gdns. W4 3B 6
Boston Gdns. W7 1B 4
Boston Gdns. Bren 1B 4
Boston Manor. 1B 4
Boston Manor House. 2C 4
Boston Mnr. Rd. Bren 1C 4
Boston Pde. W7 1B 4
Boston Pk. Rd. Bren 2D 4
Boston Rd. W7 1B 4
Boston Va. W7 1B 4
Boswell Ct. W14 1G 7 (off Blythe Rd.)
Boswell Ct. King T 5G 17 (off Clifton Rd.)
Bothwell St. W6 3G 7
Botsford Rd. SW20 6H 19
Boucher Clo. Tedd 2A 16
Boulton Ho. Bren 2F 5
Boundaries Rd. Felt 5B 8
Boundary Clo. King T 7J 17
Bourne Clo. Th Dit 6A 22
Bourne Ct. W4 3K 5
Bourne Gro. Asht 7E 28
Bournemouth Rd. SW19 5K 19
Bourne Pl. W4 2A 6
Bourne Way. Eps 1K 27
Bowater Gdns. Sun 6B 14
Bowerdean St. SW6 5K 7
Bowes Rd. W on T 6A 20
Bowfell Rd. W6 3F 7
Bow La. Mord 3H 25
Bowling Grn. Clo. SW15 4E 12
Bowman M. SW18 5J 13
Bowness Cres. SW15 2B 18
Bowness Dri. Houn 1D 8
Bowsley Ct. Felt 6A 8
Bowyers Clo. Asht 7G 29
Boyd Clo. King T 4H 17
Boyle Farm Rd. Th Dit 3B 22
Brackenbury Rd. W6 1E 6
Bracken Clo. Twic 4F 9
Bracken End. Iswth 2J 9
Bracken Gdns. SW13 6D 6
Bracken Path. Eps 2J 29
Brackley Rd. W4 2B 6
Brackley Ter. W4 2B 6
Bradbourne St. SW6 6K 7
Braddock Clo. Iswth 6A 4
Braddon Rd. Rich 7G 5
Bradmore Pk. Rd. W6 1E 6
Bradshaw Clo. SW19 3K 19
Braemar Av. SW19 6K 13
Braemar Rd. Bren 3E 4
Braemar Rd. Wor Pk 7E 24
Braeside Av. SW19 5H 19
Bragg Rd. Tedd 3K 15
Braid Clo. Felt 6E 8
Brainton Av. Felt 4A 8
Bramber Ct. W5 1F 5
Bramber Rd. W14 3J 7
Bramble La. Hamp 3E 14
Brambles Clo. Iswth 4C 4
Brambles, The. SW19 2J 19 (off Woodside)
Bramble Wlk. Eps 3J 29
Bramcote Rd. SW15 1E 12
Bramham Gdns. Chess 1E 26
Bramley Clo. Twic 3H 9
Bramley Ho. SW15 3C 12 (off Tunworth Cres.)
Bramley Ho. Houn 1E 8
Bramley Rd. W5 1D 4
Bramley Way. Asht 6G 29
Bramley Way. Houn 2E 8
Bramshaw Ri. N Mald 3B 24
Bramwell Clo. Sun 6C 14
Brandlehow Rd. SW15 1J 13
Brandon Mans. W14 3H 7 (off Queen's Club Gdns.)
Brangwyn Ct. W14 1H 7 (off Blythe Rd.)
Branksea St. SW6 4H 7
Branksome Clo. Tedd 1J 15
Branksome Clo. W on T 6C 20
Branksome Rd. SW19 5K 19
Branksome Way. N Mald 5K 17
Bransby Rd. Chess 3F 27
Branstone Rd. Rich 5G 5
Brantwood Av. Iswth 1B 10
Brasenose Dri. SW13 3F 7
Brathway Rd. SW18 4K 13
Braybourne Dri. Iswth 4A 4
Braycourt Av. W on T 4A 20
Breamore Clo. SW15 5D 12
Breamwater Gdns. Rich 7C 10
Breasley Clo. SW15 1E 12
Brecon Clo. Wor Pk 6F 25
Brecon Rd. W6 3H 7
Brende Gdns. W Mol 1G 21
Brentford. 3E 4
Brentford Bus. Cen. Bren 4D 4
Brentford End. 4C 4
Brentford F.C. (Griffin Pk.) 3E 4
Brentford Ho. Twic 4C 10
Brentford Musical Mus. 3F 5
Brent Lea. Bren 4D 4
Brent Rd. Bren 3D 4
Brent Side. Bren 3D 4
Brentside Executive Cen. Bren 3C 4
Brentwaters Bus. Pk. Bren 4D 4
Brent Way. Bren 4E 4
Brentwick Gdns. Bren 1F 5
Brettgrave. Eps 6K 27
Brett Ho. Clo. SW15 4G 13
Brewers La. Rich 2E 10
Brewery La. Twic 4A 10
Brewery M. Cen. Iswth 7B 4
Brewhouse St. SW15 7H 7
Briane Rd. Eps 6K 27
Briar Clo. Hamp 2E 14
Briar Clo. Iswth 2A 10
Briar Ct. SW15 1E 12
Briar Ct. Sutt 7F 25
Briar Rd. Twic 5K 9
Briar Wlk. SW15 1E 12
Briarwood Ct. Wor Pk 5D 24 (off Avenue, The)
Brick Farm Clo. Rich 5J 5
Brickfield Clo. Bren 4D 4
Bridge Av. W6 1F 7
Bridge Av. Mans. W6 2F 7 (off Bridge Av.)
Bridge Clo. Tedd 1A 16
Bridge Gdns. E Mol 1J 21
Bridgeman Rd. Tedd 3B 16
Bridgepark. SW18 2K 13
Bridge Rd. Chess 2F 27
Bridge Rd. E Mol 1J 21
Bridge Rd. Houn & Iswth 1J 9
Bridge Rd. Twic 3C 10
Bridges Pl. SW6 5J 7
Bridges Rd. SW19 3K 19
Bridges Rd. M. SW19 3K 19
Bridge St. W4 1A 6
Bridge St. Rich 2E 10
Bridge Vw. W6 2F 7
Bridge Way. Twic 4H 9
Bridge Wharf Rd. Iswth 7C 4
Bridgewood Rd. Wor Pk 7D 24
Bridle Clo. Eps 2K 27
Bridle Clo. King T 1E 22 (7B 30)
Bridle Clo. Sun 7A 14
Bridle La. Twic 3C 10
Bridle Rd. Clay 3C 26
Brighton Rd. Surb 3D 22
Brinkley Rd. Wor Pk 6E 24
Brinsworth Clo. Twic 5J 9
Brinsworth Ho. Twic 6J 9
Brisbane Av. SW19 5K 19
Bristol Gdns. SW15 4F 13
Bristow Rd. Houn 1H 9
Britannia La. Twic 4H 9
Britannia Rd. SW6 4K 7 (in two parts)
Britannia Rd. Surb 4G 23
British Gro. W4 2C 6
British Gro. Pas. W4 2C 6
British Gro. S. W4 2C 6
Broad Clo. W on T 7C 20
Broadfields. E Mol 3K 21
Broadhurst. Asht 5F 29
Broadhurst Clo. Rich 2G 11
Broadlands. Hanw 7F 9
Broadlands Ct. Rich 4H 5 (off Kew Gdns. Rd.)
Broadlands Way. N Mald 3C 24
Broad La. Hamp 4E 14
Broadmead. W14 1H 7
Broad Mead. Asht 6G 29
Broadmead Av. Wor Pk 4D 24
Broadmead Clo. Hamp 3F 15
Broadoaks. Surb 6J 23
Broad St. Tedd 3A 16
Broad Wlk. Rich 4G 5
Broad Wlk., The. E Mol 1A 22
Broadway Arc. W6 1F 7 (off Hammersmith B'way.)
Broadway Av. Twic 3C 10
Broadway Cen., The. W6 1F 7
Broadway Chambers. W6 1F 7 (off Hammersmith B'way)
Broadway Ct. SW19 3K 19
Broadway Pl. SW19 3J 19
Broadway, The. SW14 6B 6
Broadway, The. SW19 3J 19
Broadway, The. Th Dit 5K 21
Broadwood Ter. W14 1J 7 (off Warwick Rd.)
Brockbridge Ho. SW15 3C 12
Brockenhurst. W Mol 2E 20
Brockenhurst Av. Wor Pk 5B 24
Brockham Clo. SW19 2J 19
Brocks Dri. Sutt 7H 25
Brockshot Clo. Bren 2E 4
Brompton Clo. Houn 2E 8
Brompton Pk. Cres. SW6 3K 7
Bronsart Rd. SW6 4H 7
Bronson Rd. SW20 6G 19
Bronte Ct. W14 1G 7 (off Girdler's Rd.)
Brook Clo. SW20 7E 18
Brookers Clo. Asht 6D 28
Brookfield Gdns. Clay 3A 26
Brook Gdns. SW13 7C 6
Brook Gdns. King T 5K 17
Brook Green. 1G 7
Brook Grn. W6 1G 7
Brook Grn. Flats. W14 1G 7 (off Dunsany Rd.)
Brook Ho. W6 1F 7 (off Shepherd's Bush Rd.)
Brooklands Av. SW19 6K 13
Brooklands Ct. King T 7B 30
Brooklands Rd. Th Dit 5A 22
Brook La. Bus. Cen. Bren 2E 4
Brook La. N. Bren 2E 4 (in three parts)
Brook Rd. Surb 6F 23
Brook Rd. Twic 3B 10
Brook Rd. S. Bren 3E 4
Brookside Clo. Felt 7A 8
Brookside Cres. Wor Pk 5D 24
Brooks La. W4 3H 5
Brooks Rd. W4 2H 5
Brook St. King T 6F 17 (4C 30)
Brookville Rd. SW6 4J 7
Brook Way. Lea 7B 28
Brookwood Av. SW13 6C 6
Brookwood Rd. SW18 5J 13
Broom Clo. Tedd 4E 16
Broome Rd. Hamp 4E 14
Broomfield. Sun 5A 14
Broomfield Rd. Rich 5G 5
Broomfield Rd. Surb 5G 23
Broomfield Rd. Tedd 3D 16
Broomhill Rd. SW18 2K 13
Broomhouse La. SW6 6K 7
Broomhouse Rd. SW6 6K 7
Broomloan La. Sutt 6K 25
Broom Lock. Tedd 3D 16
Broom Pk. Tedd 4E 16
Broom Rd. Tedd 2C 16
Broom Water. Tedd 3D 16
Broom Water W. Tedd 2D 16
Brough Clo. King T 2E 16
Broughton Av. Rich 7C 10
Browells La. Felt 6A 8 (in two parts)
Brown Bear Ct. Felt 1C 14
Browning Av. Wor Pk 5E 24
Browning Clo. Hamp 1E 14
Brown's Rd. Surb 4G 23
Broxholme Ho. SW6 5K 7 (off Harwood Rd.)
Brumfield Rd. Eps 2K 27
Brunel University 4A 4 (Borough Rd., Isleworth)
Brunel University 1C 10 (St Margaret's Rd.)
Brunel Wlk. Twic 4F 9
Brunswick Clo. Th Dit 5A 22
Brunswick Clo. Twic 7J 9
Brunswick Clo. W on T 6B 20
Brunswick Rd. King T 5H 17
Bryanston Av. Twic 5G 9
Buckhold Rd. SW18 3K 13
Buckingham Av. Felt 3A 8
Buckingham Av. W Mol 6G 15
Buckingham Clo. Hamp 2E 14
Buckingham Gdns. W Mol 6G 15
Buckingham Rd. Hamp 1E 14
Buckingham Rd. King T 1G 23 (7E 30)
Buckingham Rd. Rich 6E 10
Buckland Rd. Chess 2G 27
Bucklands Rd. Tedd 3D 16
Buckland's Wharf. King T 6E 16 (3A 30)
Buckland Way. Wor Pk 5F 25
Buckleigh Av. SW20 7H 19
Bucklers All. SW6 3J 7 (in two parts)
Bucknills Clo. Eps 3K 29
Budd's All. Twic 2D 10
Buer Rd. SW6 6H 7
Bullard Rd. Tedd 3K 15
Bull's All. SW14 6A 6
Burberry Clo. N Mald 6B 18
Burden Clo. Bren 2D 4
Burdenshott Av. Rich 1J 11
Burdett Av. SW20 5D 18
Burdett Rd. Rich 6G 5
Burford Ho. Bren 2E 4
Burford Rd. Bren 2F 5
Burford Rd. Sutt 6K 25
Burford Rd. Wor Pk 4C 24
Burges Gro. SW13 4E 6
Burgess Clo. Felt 1D 14
Burghley Av. N Mald 5A 18

Burghley Hall Clo.—Charleville Rd.

Burghley Hall Clo. *SW19* 5H **13**
Burghley Rd. *SW19* 1G **19**
Burke Clo. *SW15* 1B **12**
Burleigh Pl. *SW15* 2G **13**
Burleigh Rd. *Sutt* 5H **25**
Burlington Av. *Rich* 5H **5**
Burlington Gdns. *SW6* 6H **7**
Burlington Gdns. *W4* 2K **5**
Burlington La. *W4* 4K **5**
Burlington M. *SW15* 2J **13**
Burlington Pl. *SW6* 6H **7**
Burlington Rd. *SW6* 6H **7**
Burlington Rd. *W4* 2K **5**
Burlington Rd. *N Mald* 1C **24**
Burnaby Cres. *W4* 3K **5**
Burnaby Gdns. *W4* 3J **5**
Burne Jones Ho. *W14* 1H **7**
Burnell Av. *Rich* 2D **16**
Burnet Gro. *Eps* 2K **29**
Burney Av. *Surb* 2G **23**
Burnfoot Av. *SW6* 5H **7**
Burnham Dri. *Wor Pk* 6G **25**
Burnham St. *King T* 5H **17**
Burnham Way. *W13* 1C **4**
Burns Av. *Felt* 3A **8**
Burnside. *Asht* 7G **29**
Burnside Clo. *Twic* 3B **10**
Burnthwaite Rd. *SW6* 4J **7**
Burritt Rd. *King T* 6H **17**
Burr Rd. *SW18* 5K **13**
Burstock Rd. *SW15* 1H **13**
Burston Rd. *SW15* 2G **13**
Burstow Rd. *SW20* 5H **19**
Burtenshaw Rd. *Th Dit* 4B **22**
Burton Clo. *Chess* 4E **26**
Burton Rd. *King T* 4F **17** (1D **30**)
Burton's Rd. *Hamp H* 1G **15**
Burwell. King T 6H *17* (off Excelsior Rd.)
Burwood Clo. *Surb* 5H **23**
Burwood Pk. Rd. *W on T* 7A **20**
Busch Clo. *Iswth* 5C **4**
Bush Cotts. *SW18* 2K **13**
Bushey Ct. *SW20* 7E **18**
Bushey La. *Sutt* 7K **25**
Bushey Mead 6G **19**
Bushey Rd. *SW20* 7E **18**
Bushey Rd. *Sutt* 7K **25**
Bushey Shaw. *Asht* 6C **28**
Bush Rd. *Rich* 3G **5**
Bushwood Rd. *Rich* 3H **5**
Bushy Ct. King T 5D *16* (off Up. Teddington Rd.)
Bushy Pk. Gdns. *Tedd* 2J **15**
Bushy Pk. Rd. *Tedd* 4C **16** (in two parts)
Bushy Rd. *Tedd* 3A **16**
Bute Av. *Rich* 6F **11**
Bute Gdns. *W6* 1G **7**
Bute Gdns. *Rich* 5F **11**
Butterfield Clo. *Twic* 3A **10**
Buttermere Clo. *Mord* 3G **25**
Buttermere Dri. *SW15* 2H **13**
Butterwick. *W6* 1G **7**
Butts Cotts. *Felt* 7D **8**
Butts Cres. *Hanw* 7F **9**
Butts, The. *Bren* 3D **4**
Butts, The. *Sun* 7B **14**
Buxton Cres. *Sutt* 7H **25**
Buxton Dri. *N Mald* 6A **18**
Buxton Rd. *SW14* 7B **6**
Byatt Wlk. *Hamp* 3D **14**
Bychurch End. *Tedd* 2A **16**
Byeways. *Twic* 7G **9**
Byeways, The. *Surb* 2H **23**
Byeway, The. *SW14* 7K **5**
Byfeld Gdns. *SW13* 5D **6**
Byfield Pas. *Iswth* 7B **4**
Byfield Rd. *Iswth* 7B **4**
Byron Av. *N Mald* 2D **24**
Byron Clo. *Hamp* 1E **14**
Byron Clo. *W on T* 5D **20**
Byron Ct. W7 1B *4* (off Boston Rd.)
Byward Av. *Felt* 3B **8**
Byways, The. *Asht* 7E **28**

C

Caci Ho. W14 1J *7* (off Avonmore Rd.)
Cadbury Clo. *Iswth* 5B **4**
Cadman Ct. W4 2J *5* (off Chaseley Dri.)
Cadmer Clo. *N Mald* 1B **24**
Cadogan Clo. *Tedd* 2K **15**
Cadogan Rd. *Surb* 2E **22**
Caen Wood Rd. *Asht* 7D **28**
Cairngorm Clo. *Tedd* 2B **16**
Caithness Rd. *W14* 1G **7**
Calcott Ct. W14 1H *7* (off Blythe Rd.)
Caldbeck Av. *Wor Pk* 6D **24**
Caldecote. King T 6H *17* (off Excelsior Clo.)
Caldwell Ho. SW13 4F *7* (off Trinity Chu. Rd.)
California Rd. *N Mald* 1J **23**
Calonne Rd. *SW19* 1G **19**
Camac Rd. *Twic* 5J **9**
Cambalt Rd. *SW15* 2G **13**
Camberley Av. *SW20* 6E **18**
Camberley Clo. *Sutt* 7G **25**
Camborne Rd. *SW18* 4K **13**
Camborne Rd. *Mord* 2G **25**
Cambourne Wlk. *Rich* 3E **10**
Cambria Clo. *Houn* 1F **9**
Cambria Ct. *Felt* 4A **8**
Cambrian Rd. *Rich* 3G **11**
Cambridge Av. *N Mald* 7B **18** (in two parts)
Cambridge Clo. *SW20* 5E **18**
Cambridge Clo. *Houn* 1D **8**
Cambridge Cotts. *Rich* 3H **5**
Cambridge Ct. W6 1F *7* (off Shepherd's Bush Rd.)
Cambridge Cres. *Tedd* 2B **16**
Cambridge Gdns. *King T* 6H **17**
Cambridge Gro. *W6* 1E **6**
Cambridge Gro. Rd. *King T* 7H **17** (in two parts)
Cambridge Ho. W6 1E *6* (off Cambridge Gro.)
Cambridge Pk. *Twic* 3D **10**
Cambridge Pk. Ct. *Twic* 4E **10**
Cambridge Rd. *SW13* 6C **6**
Cambridge Rd. *SW20* 5D **18**
Cambridge Rd. *Hamp* 4E **14**
Cambridge Rd. *Houn* 1D **8**
Cambridge Rd. *King T* 6G **17**
Cambridge Rd. *N Mald* 1A **24**
Cambridge Rd. *Rich* 4H **5**
Cambridge Rd. *Tedd* 1A **16**
Cambridge Rd. *Twic* 3E **10**
Cambridge Rd. *W on T* 3A **20**
Cambridge Rd. *W Mol* 1E **20**
Cambridge Rd. N. *W4* 2J **5**
Cambridge Rd. S. *W4* 2J **5**
Camden Av. *Felt* 5B **8**
Camel Gro. *King T* 2E **16**
Camellia Pl. *Twic* 4G **9**
Camelot Clo. *SW19* 1J **19**
Camm Gdns. *King T* 6G **17**
Camm Gdns. *Th Dit* 4A **22**
Campana Rd. *SW6* 5K **7**
Campbell Clo. *Twic* 5J **9**
Campbell Rd. *E Mol* 7K **15**
Campbell Rd. *Twic* 6J **9**
Campen Clo. *SW19* 6H **13**
Campion Rd. *SW15* 1F **13**
Campion Rd. *Iswth* 5A **4**
Camp Rd. *SW19* 2E **18** (in two parts)
Camp Vw. *SW19* 2E **18**
Camrose Av. *Felt* 1B **14**
Camrose Clo. *Mord* 1K **25**
Canbury Av. *King T* 5G **17** (1E **30**)
Canbury Bus. Cen. *King T* 5F **17** (2D **30**)
Canbury Bus. Pk. *King T* 2D **30**
Canbury Pk. Rd. *King T* 5F **17** (2D **30**)
Canbury Pas. *King T* 5E **16** (2B **30**)
Candler M. *Twic* 4B **10**
Canford Gdns. *N Mald* 3B **24**
Canford Pl. *Tedd* 3D **16**
Cannizaro Rd. *SW19* 3F **19**
Cannon Clo. *SW20* 7F **19**
Cannon Clo. *Hamp* 3G **15**
Cannon Hill La. *SW20* 2G **25**
Cannon Way. *W Mol* 1F **21**
Canterbury Rd. *Felt* 6D **8**
Capital Interchange Way. *Bren* 2H **5**
Cardiff Rd. *W7* 1B **4**
Cardigan Rd. *SW13* 6D **6**
Cardigan Rd. *Rich* 3F **11**
Cardinal Av. *King T* 2F **17**
Cardinal Av. *Mord* 3H **25**
Cardinal Clo. *Mord* 3H **25**
Cardinal Clo. *Wor Pk* 7D **24**
Cardinal Cres. *N Mald* 6K **17**
Cardinal Dri. *W on T* 5C **20**
Cardinal Pl. *SW15* 1G **13**
Cardinal Rd. *Felt* 5A **8**
Cardinals Wlk. *Hamp* 4H **15**
Cardington Sq. *Houn* 1C **8**
Cardross St. *W6* 1E **6**
Carleton Clo. *Esh* 5J **21**
Carlingford Rd. *Mord* 3G **25**
Carlisle Clo. *King T* 5H **17**
Carlisle M. *King T* 5H **17**
Carlisle Rd. *Hamp* 4G **15**
Carlson Ct. *SW15* 1J **13**
Carlton Av. *Felt* 3B **8**
Carlton Clo. *Chess* 3E **26**
Carlton Cres. *Sutt* 7H **25**
Carlton Dri. *SW15* 2G **13**
Carlton Ho. *Houn* 3F **9**
Carlton Pk. Av. *SW20* 6G **19**
Carlton Rd. *SW14* 7K **5**
Carlton Rd. *N Mald* 6B **18**
Carlton Rd. *W on T* 4A **20**
Carlyle Clo. *W Mol* 6G **15**
Carlyle Pl. *SW15* 1G **13**
Carlyle Rd. *W5* 2D **4**
Carmalt Gdns. *SW15* 1F **13**
Carmichael Ct. SW13 6C *6* (off Grove Rd.)
Carnegie Clo. *Surb* 6G **23**
Carnegie Pl. *SW19* 7G **13**
Carnforth Clo. *Eps* 3J **27**
Carnwath Rd. *SW6* 7K **7**
Caroline Ho. W6 2F *7* (off Queen Caroline St.)
Caroline Rd. *SW19* 4J **19**
Caroline Wlk. W6 3H *7* (off Lillie Rd.)
Carpenters Ct. *Twic* 6K **9**
Carrara Wharf. *SW6* 7H **7**
Carrick Clo. *Iswth* 7B **4**
Carrick Ga. *Esh* 7H **21**
Carrington Av. *Houn* 2G **9**
Carrington Clo. *King T* 2K **17**
Carrington Rd. *Rich* 1H **11**
Carrow Rd. *W on T* 7C **20**
Carslake Rd. *SW15* 3F **13**
Carters Clo. *Wor Pk* 6G **25**
Carter's Yd. *SW18* 2K **13**
Carthew Rd. *W6* 1E **6**
Cartwright Way. *SW13* 4E **6**
Carville Cres. *Bren* 1F **5**
CASSEL HOSPITAL, THE. 1E **16**
Cassidy Rd. *SW6* 4K **7** (in two parts)
Cassilis Rd. *Twic* 2C **10**
Castello Av. *SW15* 2F **13**
Castelnau 3E **6**
Castelnau. *SW13* 5D **6**
Castelnau Gdns. *SW13* 3E **6**
Castelnau Mans. SW13 3E *6* (off Castelnau, in two parts)
Castelnau Row. *SW13* 3E **6**
Castle Clo. *SW19* 7G **13**
Castlecombe Dri. *SW19* 4G **13**
Castlegate. *Rich* 7G **5**
Castle Pl. *W4* 1B **6**
Castle Rd. *Eps* 4J **29**
Castle Rd. *Iswth* 6A **4**
Castle Row. *W4* 2A **6**
Castle St. *King T* 6F **17** (3C **30**)
Castletown Rd. *W14* 2H **7**
Castle Vw. *Eps* 3J **29**
Castle Wlk. *Sun* 7B **14**
Castle Way. *SW19* 7G **13**
Castle Way. *Felt* 1B **14**
Castle Yd. *Rich* 2E **10**
Catherine Ct. *SW19* 2J **19**
Catherine Dri. *Rich* 1F **11**
Catherine Gdns. *Houn* 1J **9**
Catherine Rd. *Surb* 2E **22**
Catherine Wheel Rd. *Bren* 4E **4**
Cato's Hill. *Esh* 7G **21**
Causeway, The. *SW18* 2K **13** (in two parts)
Causeway, The. *SW19* 2F **19**
Causeway, The. *Chess* 1F **27**
Causeway, The. *Clay* 4A **26**
Causeway, The. *Felt & Houn* 1A **8**
Causeway, The. *Tedd* 3A **16**
Cavalier Ct. *Surb* 3G **23**
Cavalry Cres. *Houn* 1C **8**
Cavalry Gdns. *SW15* 2J **13**
Cavell Way. *Eps* 7H **27**
Cavendish Av. *N Mald* 2D **24**
Cavendish Rd. *W4* 5K **5**
Cavendish Rd. *N Mald* 1C **24**
Cavendish Ter. *Felt* 6A **8**
Caverleigh Way. *Wor Pk* 5D **24**
Cave Rd. *Rich* 1D **16**
Caversham Av. *Sutt* 6H **25**
Caversham Ho. *King T* 4C **30**
Caversham Rd. *King T* 6G **17** (3E **30**)
Cawdor Cres. *W7* 1B **4**
Caxton M. *Bren* 3E **4**
Cecil Clo. *Chess* 1E **26**
Cecil Rd. *SW19* 4K **19**
Cedar Av. *Twic* 3G **9**
Cedar Clo. *SW15* 1A **18**
Cedar Clo. *E Mol* 1K **21**
Cedar Ct. *SW19* 7G **13**
Cedar Ct. *Bren* 3D **4**
Cedarcroft Rd. *Chess* 1G **27**
Cedar Heights. *Rich* 5F **11**
Cedar Hill. *Eps* 5K **29**
Cedarland Ter. *SW20* 4E **18**
Cedarne Rd. *SW6* 4K **7**
Cedar Rd. *E Mol* 1K **21**
Cedar Rd. *Tedd* 2B **16**
Cedars Rd. *SW13* 6D **6**
Cedars Rd. *W4* 3K **5**
Cedars Rd. *Hamp W* 5D **16**
Cedars Rd. *Mord* 1K **25**
Cedars, The. *Tedd* 3A **16**
Cedar Ter. *Rich* 1F **11**
Cedar Vw. *King T* 6B **30**
Cedar Wlk. *Clay* 3A **26**
Celandine Rd. *W on T* 7D **20**
Centaur Ct. *Bren* 2F **5**
Centaurs Bus. Cen. *Iswth* 3B **4**
Central Av. *Houn* 1H **9**
Central Av. *W Mol* 1E **20**
Central Pde. *Felt* 4B **8**
Central Pde. *Surb* 3F **23**
Central Pde. *W Mol* 1E **20**
Central Pk. Est. *Houn* 2C **8**
Central Rd. *Mord* 3K **25**
Central Rd. *Wor Pk* 5D **24**
Central School Path. *SW14* 7K **5**
Central Way. *Felt* 2A **8**
Centre Ct. Shop. Cen. *SW19* 3J **19**
Centre, The. *Felt* 6A **8**
Centre, The. *Houn* 1G **9**
Century Ho. *SW15* 1G **13**
Ceylon Rd. *W14* 1G **7**
Chadwick Av. *SW19* 3K **19**
Chadwick Clo. *SW15* 4C **12**
Chadwick Clo. *Tedd* 3B **16**
Chadwick Pl. *Surb* 4D **22**
Chaffers Mead. *Asht* 5G **29**
Chaffinch Clo. *Surb* 7H **23**
Chalcott Gdns. *Surb* 5D **22**
Chaldon Rd. *SW6* 4H **7**
Chalfont Way. *W13* 1C **4**
Chalford Clo. *W Mol* 1F **21**
Chalgrove Av. *Mord* 2K **25**
Chalker's Corner (Junct.) 7J **5**
Chalk Hill Rd. *W6* 1G **7**
Chalky La. *Chess* 6E **26**
Challis Rd. *Bren* 2E **4**
Challoner Cres. *W14* 2J **7**
Challoners Clo. *E Mol* 1J **21**
Challoner St. *W14* 2J **7**
Chalmers Way. *Felt* 2A **8**
Chamberlain Wlk. Felt 1D *14* (off Swift Rd.)
Chamberlain Way. *Surb* 4F **23**
Chambon Pl. *W6* 1D **6**
Chancellor's Rd. *W6* 2F **7**
Chancellor's St. *W6* 2F **7**
Chancellors Wharf. *W6* 2F **7**
Chandler Clo. *Hamp* 5F **15**
Chandler Ct. *Felt* 3A **8**
Chandos Av. *W5* 1D **4**
Channon Ct. Surb 2F *23* (off Maple Rd)
Chantry Hurst. *Eps* 4K **29**
Chantry Rd. *Chess* 2G **27**
Chapel Rd. *Houn* 1G **9**
Chapel Rd. *Twic* 4C **10**
Chapel Yd. SW18 2K *13* (off Wandsworth High St.)
Chapman Sq. *SW19* 6G **13**
Chapter Way. *Hamp* 1F **15**
Chara Pl. *W4* 3A **6**
Charcot Ho. *SW15* 3C **12**
Chardin Rd. *W4* 1B **6**
CHARING CROSS HOSPITAL 3G **7**
Charles Harrod Ct. SW13 3F *7* (off Somerville Av.)
Charles Rd. *SW19* 5K **19**
Charles St. *SW13* 6B **6**
Charleston Clo. *Felt* 7A **8**
Charleville Mans. W14 2H *7* (off Charleville Rd.)
Charleville Rd. *W14* 2H **7**

Cunliffe Pde.—Eastbury Rd.

Cunliffe Pde. *Eps* 7C **24**
Cunliffe Rd. *Eps* 7C **24**
Cunnington St. *W4* 1K **5**
Curlew Ct. *Surb* 7H **23**
Currie Hill Clo. *SW19* 1J **19**
Curtis Rd. *Eps* 1K **27**
Curtis Rd. *Houn* 4E **8**
Cusack Clo. *Twic* 1A **16**
Cutthroat All. *Rich* 6D **10**
Cyclamen Clo. *Hamp* 3F **15**
Cyclamen Way. *Eps* 2K **27**
Cygnet Av. *Felt* 4B **8**
Cygnets, The. *Felt* 1D **14**
Cypress Av. *Twic* 4H **9**

D

D'Abernon Chase. *Lea* 3B **28**
D'Abernon Clo. *Esh* 7F **21**
Daffodil Pl. *Hamp* 3F **15**
Dagmar Rd. *King T* 5G **17**
Dain Ct. W8 *1K 7*
(off Lexham Gdns.)
Dairy Wlk. *SW19* 1H **19**
Daisy La. *SW6* 7K **7**
Dale Ct. King T *4G 17*
(off York Rd.)
Daleside Rd. *Eps* 3K **27**
Dale St. *W4* 2B **6**
Dalewood Gdns. *Wor Pk* 6E **24**
Dalling Rd. *W6* 1E **6**
Dalmeny Cres. *Houn* 1J **9**
Dalmeny Rd. *Wor Pk* 7E **24**
Dalmore Av. *Clay* 3A **26**
Dancer Rd. *SW6* 5J **7**
Dancer Rd. *Rich* 7H **5**
Danebury Av. *SW15* 3B **12**
(in two parts)
Danehurst St. *SW6* 5H **7**
Danemere St. *SW15* 7F **7**
Danesbury Rd. *Felt* 5A **8**
Danesfield Clo. *W on T* 7A **20**
Danetree Clo. *Eps* 4K **27**
Danetree Rd. *Eps* 4K **27**
Daniel Clo. *Houn* 4E **8**
Da Palma Ct. SW6 *3K 7*
(off Anselm Rd.)
Daphne Ct. *Wor Pk* 6B **24**
Darby Cres. *Sun* 6B **14**
Darby Gdns. *Sun* 6B **14**
D'Arcy Pl. *Asht* 6G **29**
D'Arcy Rd. *Asht* 6G **29**
Darcy Rd. *Iswth* 5B **4**
D'Arcy Rd. *Sutt* 7G **25**
Darell Rd. *Rich* 7H **5**
Darfur St. *SW15* 7G **7**
Darlan Rd. *SW6* 4J **7**
Darlaston Rd. *SW19* 4G **19**
Darley Dri. *N Mald* 6A **18**
Darling Ho. *Twic* 3E **10**
Dartmouth Pl. *W4* 3B **6**
Darwin Rd. *W5* 2D **4**
Davenport Clo. *Tedd* 3B **16**
David Twigg Clo.
King T 5F **17** (1D **30**)
Davis Rd. *Chess* 1H **27**
Davmor Ct. *Bren* 2D **4**
Dawes Av. *Iswth* 2B **10**
Dawes Rd. *SW6* 4H **7**
Dawson Rd. *King T* 7G **17**
Daylesford Av. *SW15* 1D **12**
Deacon Rd. *King T* 5G **17** (2E **30**)
Deacons Ct. *Twic* 6A **10**
Deacons Wlk. *Hamp* 1F **15**
Deal M. *W5* 1E **4**
Dealtry Rd. *SW15* 1F **13**
Deanhill Ct. *SW14* 1J **11**
Deanhill Rd. *SW14* 1J **11**
Dean Rd. *Hamp* 2F **15**
Dean Rd. *Houn* 2G **9**
Deans Clo. *W4* 3J **5**
Deans La. W4 *3J 5*
(off Deans Clo.)
Deans Rd. *Sutt* 7K **25**
Debden Clo. *King T* 2E **16**
De Brome Rd. *Felt* 5B **8**
Deepdale. *SW19* 1G **19**
Deepwell Clo. *Iswth* 5B **4**
Deerhurst Clo. *Felt* 1A **14**
Deerhurst Cres. *Hamp H* 2H **15**
Dee Rd. *Rich* 1G **11**
Deer Pk. Clo. *King T* 4J **17**
Defoe Av. *Rich* 4H **5**
Delaford St. *SW6* 4H **7**
Delamere Rd. *SW20* 5G **19**
Delcombe Av. *Wor Pk* 5F **25**
Delft Ho. *King T* 1E **30**
Dellbow Rd. *Felt* 2A **8**
Dells Clo. *Tedd* 3A **16**
Dell, The. *Bren* 3D **4**
Dell, The. *Felt* 4A **8**
Dell Wlk. *N Mald* 6B **18**
Delorme St. *W6* 3G **7**
Delta Clo. *Wor Pk* 7C **24**
Delta Pk. *SW18* 1K **13**
Delta Rd. *Wor Pk* 7B **24**
Delvino Rd. *SW6* 5K **7**
De Mel Clo. *Eps* 1J **29**
Dempster Clo. *Surb* 5D **22**
Denbigh Gdns. *Rich* 2G **11**
Dene Clo. *Wor Pk* 6C **24**
Dene Gdns. *Th Dit* 6B **22**
Denehurst Gdns. *Rich* 1H **11**
Denehurst Gdns. *Twic* 4J **9**
Dene Rd. *Asht* 7G **29**
Dene, The. *W Mol* 2E **20**
Denham Rd. *Felt* 4B **8**
Denleigh Gdns. *Th Dit* 3K **21**
Denman Dri. *Clay* 2B **26**
Denmark Av. *SW19* 4H **19**
Denmark Ct. *Mord* 3K **25**
Denmark Rd. *SW19* 3G **19**
Denmark Rd.
King T 7F **17** (5C **30**)
Denmark Rd. *Twic* 7J **9**
Denmead Ho. SW15 *3C 12*
(off Highcliffe Dri.)
Dennan Rd. *Surb* 5G **23**
Denning Clo. *Hamp* 2E **14**
Denningtons, The. *Wor Pk* 6B **24**
Dennis Pk. Cres. *SW20* 5H **19**
Dennis Rd. *E Mol* 1H **21**
Denton Gro. *W on T* 6D **20**
Denton Rd. *Twic* 3E **10**
Deodar Rd. *SW15* 1H **13**
Derby Rd. *SW14* 1J **11**
Derby Rd. *SW19* 4K **19**
Derby Rd. *Houn* 1G **9**
Derby Rd. *Surb* 5H **23**
Derek Av. *Eps* 3H **27**
Derek Clo. *Ewe* 2J **27**
Derwent Av. *SW15* 1B **18**
Derwent Clo. *Clay* 3A **26**
Derwent Lodge. *Wor Pk* 6E **24**
Derwent Rd. *SW20* 2G **25**
Derwent Rd. *Twic* 3G **9**
Desborough Ho. W14 *3J 7*
(off N. End Rd.)
Devas Rd. *SW20* 5F **19**
Devereux La. *SW13* 4E **6**
Devey Clo. *King T* 4C **18**
Devitt Clo. *Asht* 5H **29**
Devoke Way. *W on T* 6C **20**
Devon Av. *Twic* 5H **9**
Devon Ct. *Hamp* 4F **15**
Devoncroft Gdns. *Twic* 4B **10**
Devonhurst Pl. *W4* 2A **6**
Devonshire Dri. *Surb* 5E **22**
Devonshire Gdns. *W4* 4K **5**
Devonshire M. *W4* 2B **6**
Devonshire Pas. *W4* 2B **6**
Devonshire Rd. *W4* 2B **6**
Devonshire Rd. *Felt* 7D **8**
Devonshire St. *W4* 2B **6**
Devon Way. *Chess* 2D **26**
Devon Way. *Eps* 2J **27**
Dewsbury Ct. *W4* 1K **5**
Dewsbury Gdns. *Wor Pk* 7D **24**
Diana Gdns. *Surb* 6G **23**
Diana Ho. *SW13* 5C **6**
Dibdin Clo. *Sutt* 7K **25**
Dibdin Rd. *Sutt* 7K **25**
Dickens Clo. *Rich* 6F **11**
Dickenson Rd. *Felt* 2B **14**
Dickerage La. *N Mald* 7K **17**
Dickerage Rd. *King T* 5K **17**
Digby Mans. W6 *2E 6*
(off Hammersmith Bri. Rd.)
Digdens Ri. *Eps* 4K **29**
Dilton Gdns. *SW15* 5D **12**
Dimes Pl. *W6* 1E **6**
Dinton Rd. *King T* 4G **17**
Disbrowe Rd. *W6* 3H **7**
Disraeli Clo. *W4* 1A **6**
Disraeli Gdns. *SW15* 1J **13**
Disraeli Rd. *SW15* 1H **13**
Distillery La. *W6* 2F **7**
Distillery Rd. *W6* 2F **7**
Distillery Wlk. *Bren* 3F **5**
Ditton Clo. *Th Dit* 4B **22**
Ditton Grange Clo. *Surb* 5E **22**
Ditton Grange Dri. *Surb* 5E **22**
Ditton Hill. *Surb* 5D **22**
Ditton Hill Rd. *Surb* 5D **22**
Ditton Lawn. *Th Dit* 5B **22**
Ditton Reach. *Th Dit* 3C **22**
Ditton Rd. *Surb* 6E **22**
Divis Way. SW15 *3E 12*
(off Dover Pk. Dri.)
Dock Rd. *Bren* 4E **4**
Dolby Rd. *SW6* 6J **7**
Dollary Pde. King T *7J 17*
(off Kingston Rd.)
Dolman Rd. *W4* 1A **6**
Dolphin Clo. *Surb* 2E **22**
Dolphin Sq. *W4* 4B **6**
Dolphin St. *King T* 6F **17** (3C **30**)
Donald Woods Gdns. *Surb* 6J **23**
Doneraile St. *SW6* 6G **7**
Donnelly Ct. SW6 *4H 7*
(off Dawes Rd.)
Donnington Rd. *Wor Pk* 6D **24**
Donovan Clo. *Eps* 6K **27**
Doone Clo. *Tedd* 3B **16**
Dora Rd. *SW19* 2K **19**
Dorchester Gro. *W4* 2B **6**
Dorchester M. *N Mald* 1A **24**
Dorchester M. *Twic* 3D **10**
Dorchester Rd. *Wor Pk* 5F **25**
Doria Rd. *SW6* 6J **7**
Dorien Rd. *SW20* 6G **19**
Dorking Clo. *Wor Pk* 6G **25**
Dorking Rd. *Eps* 5H **29**
Dormay St. *SW18* 2K **13**
Dorncliffe Rd. *SW6* 6H **7**
Dorney Way. *Houn* 2D **8**
Dorset Rd. *SW19* 5K **19**
Dorset Way. *Twic* 5J **9**
Dorville Cres. *W6* 1E **6**
Douai Gro. *Hamp* 5H **15**
Douglas Av. *N Mald* 1E **24**
Douglas Ct. *King T* 7D **30**
Douglas Ho. *Surb* 5G **23**
Douglas Johnstone Ho. SW6 *3J 7*
(off Clem Attlee Ct.)
Douglas Mans. *Houn* 1G **9**
Douglas Rd. *Esh* 6G **21**
Douglas Rd. *Houn* 1G **9**
Douglas Rd. *King T* 6J **17**
Douglas Rd. *Surb* 6G **23**
Douglas Sq. *Mord* 3K **25**
Dounesforth Gdns. *SW18* 5K **13**
Dovecote Gdns. *SW14* 7A **6**
Dover Ho. Rd. *SW15* 1D **12**
Dover Pk. Dri. *SW15* 3E **12**
Dover Ter. Rich *6G 5*
(off Sandycombe Rd.)
Dowdeswell Clo. *SW15* 1B **12**
Dowler Ct. *King T* 1D **30**
Downbury M. *SW18* 2K **13**
Downes Clo. *Twic* 3C **10**
Downe Ter. *Rich* 3F **11**
Downfield. *Wor Pk* 5C **24**
Down Hall Rd.
King T 5E **16** (2B **30**)
Down Pl. *W6* 1E **6**
Down Rd. *Tedd* 3C **16**
Downside. *Twic* 7A **10**
Downside Wlk. Bren *3E 4*
(off Windmill Rd.)
Downs, The. *SW20* 4G **19**
Down St. *W Mol* 2F **21**
Downs Vw. *Iswth* 5A **4**
Doyle Ho. SW13 *4F 7*
(off Trinity Chu. Rd.)
Draco Ga. *SW15* 7F **7**
Drake Ct. Surb *1F 23*
(off Cranes Pk. Av.)
Drake Rd. *Chess* 2H **27**
Drax Av. *SW20* 4D **18**
Draycot Rd. *Surb* 5H **23**
Dray Ct. *Wor Pk* 5C **24**
Draymans Way. *Iswth* 7A **4**
Drayton Clo. *Houn* 2E **8**
Drive Mans. SW6 *6H 7*
(off Fulham Rd.)
Drive, The. *SW6* 6H **7**
Drive, The. *SW20* 4F **19**
Drive, The. *Esh* 5H **21**
Drive, The. *Felt* 4B **8**
Drive, The. *King T* 4K **17**
Drive, The. *Surb* 4F **23**
Dromore Rd. *SW15* 3H **13**
Drovers Ct. *King T* 3D **30**
Drumaline Ridge. *Wor Pk* 6B **24**
Drummond Gdns. *Eps* 7K **27**
Drummond Pl. *Twic* 4C **10**
Dryad St. *SW15* 7G **7**
Dryburgh Rd. *SW15* 7E **6**
Dryden Mans. W14 *3H 7*
(off Queen's Club Gdns.)
Ducks Wlk. *Twic* 2D **10**
Dudley Dri. *Mord* 5H **25**
Dudley Gro. *Eps* 3K **29**
Dudley Rd. *SW19* 3K **19**
Dudley Rd. *King T* 7G **17** (5E **30**)
Dudley Rd. *Rich* 6G **5**
Dudley Rd. *W on T* 4A **20**
Duke of Cambridge Clo. *Twic* 3J **9**
Duke Rd. *W4* 2A **6**
Duke's Av. *W4* 2A **6**
Dukes Av. *Houn* 1D **8**
Dukes Av. *N Mald* 7B **18**
Dukes Av. *Rich* 1D **16**
Dukes Clo. *Hamp* 2E **14**
Dukes Ga. *W4* 1K **5**
Dukes Grn. Av. *Felt* 2A **8**
Dukes Head Pas. *Hamp* 4H **15**
Duke St. *Rich* 1E **10**
Dumbleton Clo. *King T* 5J **17**
Dunbar Ct. *W on T* 5B **20**
Dunbar Rd. *N Mald* 1K **23**
Dunbridge Ho. SW15 *3C 12*
(off Highcliffe Dri.)
Duncan Rd. *Rich* 1F **11**
Dundas Gdns. *W Mol* 7G **15**
Dundonald Rd. *SW19* 4H **19**
Dungarvan Av. *SW15* 1D **12**
Dunleary Clo. *Houn* 4E **8**
Dunmore Rd. *SW20* 5F **19**
Dunmow Clo. *Felt* 7D **8**
Dunsany Rd. *W14* 1G **7**
Dunsford Way. *SW15* 3E **12**
Dunsmore Rd. *W on T* 3A **20**
Dunstable Rd. *Rich* 1F **11**
Dunstable Rd. *W Mol* 1E **20**
Dunstall Rd. *SW20* 3E **18**
Dunstall Way. *W Mol* 7G **15**
Dunster Av. *Mord* 5G **25**
Dunton Clo. *Surb* 5F **23**
Dunvegan Clo. *W Mol* 1G **21**
Dupont Rd. *SW20* 6G **19**
Durbin Rd. *Chess* 1F **27**
Durford Cres. *SW15* 5E **12**
Durham Clo. *SW20* 6E **18**
Durham Ct. *Tedd* 1K **15**
Durham Rd. *SW20* 5E **18**
Durham Rd. *W5* 1E **4**
Durham Rd. *Felt* 4B **8**
Durham Wharf. *Bren* 4D **4**
Durlston Rd. *King T* 3F **17**
Durnsford Av. *SW19* 6K **13**
Durnsford Rd. *SW19* 6K **13**
Durrell Rd. *SW6* 5J **7**
Durrels Ho. W14 *1J 7*
(off Warwick Gdns.)
Durrington Av. *SW20* 4F **19**
Durrington Pk. Rd. *SW20* 5F **19**
Dutch Gdns. *King T* 3J **17**
Dutch Yd. *SW18* 2K **13**
Duxberry Av. *Felt* 7B **8**
Dyer Ho. *Hamp* 5G **15**
Dyers La. *SW15* 1E **12**
Dymes Path. *SW19* 6G **13**
Dynevor Rd. *Rich* 2F **11**
Dysart Av. *King T* 2D **16**

E

Ealing Pk. Gdns. *W5* 1D **4**
Ealing Rd. *Bren* 1E **4**
Ealing Rd. Trad. Est. *Bren* 2E **4**
Eardley Cres. *SW5* 2K **7**
Earldom Rd. *SW15* 1F **13**
Earle Gdns. *King T* 4F **17**
Earl Rd. *SW14* 1K **11**
Earl's Court. **2K 7**
Earl's Court Exhibition Building.
2K 7
Earls Ct. Gdns. *SW5* 1K **7**
Earls Ct. Rd. *W8 & SW5* 1K **7**
Earl's Ct. Sq. *SW5* 2K **7**
Earls Ter. *W8* 1J **7**
Earls Wlk. *W8* 1K **7**
Earsby St. *W14* 1H **7**
(in three parts)
Eastbank Rd. *Hamp H* 2H **15**
Eastbourne Gdns. *SW14* 7K **5**
Eastbourne Rd. *W4* 3K **5**
Eastbourne Rd. *Bren* 2D **4**
Eastbourne Rd. *Felt* 6C **8**
Eastbury Gro. *W4* 2B **6**
Eastbury Rd.
King T 4F **17** (1C **30**)

38 A-Z Richmond & Kingston

Eastcote Av. W Mol 2E 20
Eastdean Av. Eps 2J 29
East La. King T 7E 16 (5B 30)
Eastleigh Wlk. SW15 4D 12
East Molesey 1J 21
Eastmont Rd. Esh 6K 21
East Rd. King T 5F 17 (1D 30)
East Sheen 1K 11
E. Sheen Av. SW14 2A 12
East St. Bren 4D 4
Eastway. Eps 7K 27
Eastway. Mord 2G 25
E. W. Link Rd.
King T 5E 16 (1B 30)
Eaton Dri. King T 4H 17
Eaton Rd. Houn 1J 9
Ebbas Way. Eps 4J 29
Ebbisham Rd. Eps 3J 29
Ebbisham Rd. Wor Pk 6F 25
Ebor Cotts. SW15 7B 12
Eddiscombe Rd. SW6 6J 7
Ede Clo. Houn 1E 8
Edenfield Gdns. Wor Pk 7C 24
Edenhurst Av. SW6 7J 7
Edensor Gdns. W4 4B 6
Edensor Rd. W4 4B 6
Eden St. King T 6E 16 (4B 30)
Eden Wlk. King T 6F 17 (4C 30)
Edgar Ct. N Mald 6B 18
Edgarley Ter. SW6 5H 7
Edgar Rd. Houn 4E 8
Edgecoombe Clo. King T 4A 18
Edge Hill. SW19 4G 19
Edge Hill Ct. SW19 4G 19
Edgehill Ct. W on T 5B 20
Edinburgh Ct. SW20 2G 25
Edinburgh Ct. King T 5C 30
Edith Gdns. Surb 4J 23
Edith Ho. W6 2F 7
(off Queen Caroline St.)
Edith Rd. W14 1H 7
Edith Summerskill Ho. SW6 4J 7
(off Clem Attlee Est.)
Edith Vs. W14 1J 7
Edna Rd. SW20 6G 19
Edward Clo. Hamp H 2H 15
Edwardes Pl. W8 1J 7
Edwardes Sq. W8 1J 7
Edward Rd. Hamp H 2H 15
Edwards Clo. Wor Pk 6G 25
Edwin Rd. Twic 5K 9
(in two parts)
Edwinstray Ho. Felt 6F 9
Effie Pl. SW6 4K 7
Effie Rd. SW6 4K 7
Effingham Lodge. King T 1E 22
Effingham Rd. Surb 4C 22
Effra Rd. SW19 3K 19
Egbury Ho. SW15 3C 12
(off Tangley Gro.)
Egerton Rd. N Mald 1C 24
Egerton Rd. Twic 4K 9
Egham Clo. SW19 6H 13
Egham Clo. Sutt 6H 25
Egham Cres. Sutt 7H 25
Egliston M. SW15 7F 7
Egliston Rd. SW15 7F 7
Egmont Av. Surb 5G 23
Egmont Rd. N Mald 1C 24
Egmont Rd. Surb 5G 23
Egmont Rd. W on T 4A 20
Eileen Wilkinson Ho. SW6 3J 7
(off Clem Attlee Ct.)
Elborough St. SW18 5K 13
Eleanor Av. Eps 6K 27
Eleanor Gro. SW13 7B 6
Eleanor Ho. W6 2F 7
(off Queen Caroline St.)
Electric Pde. Surb 3E 22
Elfin Gro. Tedd 2A 16
Elgar Av. Surb 5H 23
Elgar Ct. W14 1H 7
(off Blythe Rd.)
Eliot Gdns. SW15 1D 12
Elizabeth Cotts. Kew 5G 5
Elizabeth Ct. Tedd 2K 15
Elizabeth Gdns. Sun 7B 14
Elizabeth Ho. W6 2F 7
(off Queen Caroline St.)
Elizabeth Way. Felt 1B 14
Ellaline Rd. W6 3G 7
Elland Rd. W on T 6C 20
Ellenborough Pl. SW15 1D 12
Elleray Rd. Tedd 3A 16
Ellerby St. SW6 5G 7
Ellerdine Rd. Houn 1H 9
Ellerker Gdns. Rich 3F 11
Ellerman Av. Twic 5E 8
Ellerton Rd. SW13 5D 6
Ellerton Rd. SW20 4D 18
Ellerton Rd. Surb 6G 23
Ellesmere Ct. W4 2A 6
Ellesmere Rd. W4 3K 5
Ellesmere Rd. Twic 3D 10
Elleswood Ct. Surb 4E 22
Ellingham Rd. Chess 3E 26
Elliott Rd. W4 1B 6
Ellisfield Dri. SW15 4D 12
Ellison Rd. SW13 6C 6
Elm Bank Gdns. SW13 6B 6
Elmbridge Av. Surb 2J 23
Elmbrook Clo. Sun 5A 14
Elm Clo. SW20 1F 25
Elm Clo. Surb 4K 23
Elm Clo. Twic 6G 9
Elm Ct. W Mol 1G 21
Elm Cres. King T 5F 17 (2D 30)
Elmcroft Clo. Chess 7F 23
Elmcroft Dri. Chess 7F 23
Elmdene. Surb 5K 23
Elm Dri. Sun 6B 14
Elmer Gdns. Iswth 1J 9
Elmers Dri. Tedd 3C 16
Elmfield Av. Tedd 2A 16
Elm Gdns. Clay 3A 26
Elmgate Av. Felt 7A 8
Elm Gro. SW19 4H 19
Elm Gro. Eps 3K 29
Elm Gro. King T 5F 17 (2D 30)
Elm Gro. Rd. SW13 5D 6
Elm Ho. King T 4G 17
(off Elm Rd.)
Elm Lodge. SW6 5F 7
Elm Rd. SW14 7K 5
Elm Rd. Chess 1F 27
Elm Rd. Clay 3A 26
Elm Rd. King T 5G 17 (2E 30)
Elm Rd. N Mald 6A 18
Elm Rd. W. Sutt 4J 25
Elmshaw Rd. SW15 2D 12
Elmsleigh Ho. Twic 6J 9
(off Staines Rd.)
Elmsleigh Rd. Twic 6J 9
Elmslie Clo. Eps 3K 29
Elmstead Gdns. Wor Pk 7D 24
Elms, The. SW13 7C 6
Elms, The. Clay 4A 26
Elmstone Rd. SW6 5K 7
Elm Tree Av. Esh 4J 21
Elmtree Rd. Tedd 1K 15
Elm Wlk. SW20 1F 25
Elm Way. Wor Pk 7F 25
Elmwood Av. Felt 6A 8
Elmwood Clo. Asht 6E 28
Elmwood Ct. Asht 6E 28
Elmwood Rd. W4 3K 5
Elsenham St. SW18 5J 13
Elsinore Ho. W6 2F 7
(off Fulham Pal. Rd.)
Elsinore Way. Rich 7J 5
Elsrick Av. Mord 2K 25
Elstead Ct. Sutt 5H 25
Elsworthy. Th Dit 3K 21
Elthiron Rd. SW6 5K 7
Elthorne Ct. Felt 5B 8
Elton Clo. King T 4D 16
Elton Rd. King T 5G 17
Ely Clo. N Mald 6C 18
Elysium Pl. SW6 6J 7
(off Elysium St.)
Elysium St. SW6 6J 7
Emanuel Dri. Hamp 2E 14
Embankment. SW15 6G 7
(in three parts)
Embankment, The. Twic 5B 10
Ember Cen. W on T 6D 20
Embercourt Rd. Th Dit 3K 21
Ember Farm Av. E Mol 3J 21
Ember Farm Way. E Mol 3J 21
Ember Gdns. Th Dit 4K 21
Ember La. Esh & E Mol 4J 21
Embleton Wlk. Hamp 2E 14
Emlyn Rd. W12 1C 6
Emms Pas. King T 6E 16 (4B 30)
Empress Pl. SW6 2K 7
Empress State Building.
W14 2K 7
Endeavour Way. SW19 1K 19
Endsleigh Gdns. Surb 3D 22
End Way. Surb 4H 23
Enfield Rd. Bren 2E 4
Enfield Wlk. Bren 2E 4
Engadine St. SW18 5J 13
England Way. N Mald 1J 23
Enmore Gdns. SW14 2A 12
Enmore Rd. SW15 1F 13
Ennerdale Rd. Rich 6G 5
Ennismore Av. W4 1C 6
Ennismore Gdns. Th Dit 3K 21
Enterprise Way. SW18 1K 13
Enterprise Way. Tedd 3A 16
Epirus M. SW6 4K 7
Epirus Rd. SW6 4J 7
Epple Rd. SW6 5J 7
Epsom 2K 29
Epsom Gap. Lea 4C 28
EPSOM GENERAL HOSPITAL.
4K 29
Epsom Playhouse 2K 29
(off Ashley Av.)
Epsom Rd. Asht 7G 29
Epsom Rd. Sutt 4J 25
Epworth Rd. Iswth 4C 4
Ericcson Clo. SW18 2K 13
Erncroft Way. Twic 3A 10
Ernest Gdns. W4 3J 5
Ernest Rd. King T 6J 17
Ernest Sq. King T 6J 17
Ernle Rd. SW20 4E 18
Ernshaw Pl. SW15 2H 13
Erpingham Rd. SW15 7F 7
Erridge Rd. SW19 6K 19
Errol Gdns. N Mald 1D 24
Esher 7H 21
Esher Av. Sutt 7G 25
Esher Av. W on T 4A 20
Esher By-Pass.
Clay & Chess 6A 26
Esher Gdns. SW19 6G 13
Esher Grn. Esh 7G 21
Esher Green Dri. Esh 7G 21
Esher Pl. Av. Esh 7F 21
Esher Rd. E Mol 3J 21
Esmond Gdns. W4 1A 6
Esmond Rd. W4 1A 6
Esmond St. SW15 1H 13
Essex Av. Iswth 1K 9
Essex Clo. Mord 4G 25
Essex Ct. SW13 6C 6
Essex Pl. W4 1K 5
(in two parts)
Essex Pl. Sq. W4 1A 6
Essex Rd. W4 1A 6
(in two parts)
Estcourt Rd. SW6 4J 7
Estella Av. N Mald 1E 24
Estridge Clo. Houn 1F 9
Eternit Wlk. SW6 5F 7
Ethel Bailey Clo. Eps 1H 29
Ethelbert Rd. SW20 5G 19
Eton Av. N Mald 2A 24
Eton St. Rich 2F 11
Etwell Pl. Surb 3G 23
Eureka Rd. King T 6H 17
Eustace Rd. SW6 4K 7
Evans Gro. Felt 6F 9
Evans Ho. Felt 6F 9
Evelyn Clo. Twic 4G 9
Evelyn Gdns. Rich 1F 11
Evelyn Mans. W14 3H 7
(off Queen's Club Gdns.)
Evelyn Rd. SW19 2K 19
Evelyn Rd. W4 1A 6
Evelyn Rd. Ham 7D 10
Evelyn Rd. Rich 7F 5
Evelyn Ter. Rich 7F 5
Evelyn Way. Eps 7H 27
Evenwood Clo. SW15 2H 13
Everatt Clo. SW18 3J 13
Everdon Rd. SW13 3D 6
Everington St. W6 3G 7
(in two parts)
Eve Rd. Iswth 1B 10
Eversfield Rd. Rich 6G 5
Evershed Wlk. W4 1K 5
Eversley Pk. SW19 3E 18
Eversley Rd. Surb 1G 23
Evesham Ct. Rich 3G 11
Evesham Grn. Mord 3K 25
Evesham Ter. Surb 3E 22
Ewald Rd. SW6 6J 7
Ewell Rd. Surb 4C 22
(Effingham Rd.)
Ewell Rd. Surb 3F 23
(Surbiton Hill Rd.)
Excelsior Clo. King T 6H 17
Exeter Ct. Surb 2F 23
(off Maple Rd.)
Exeter Ho. Felt 6E 8
(off Watermill Way)
Exeter M. SW6 4K 7
Exeter Rd. Felt 7E 8
Eyot Gdns. W6 2C 6
Eyot Grn. W4 2C 6

F

Fabian Rd. SW6 4J 7
Fagg's Rd. Felt 2A 8
Fairacre. N Mald 7B 18
Fairacres. SW15 1C 12
Fairburn Ct. SW15 2H 13
Fairburn Ho. W14 2J 7
(off Ivatt Pl.)
Faircroft Ct. Tedd 3B 16
Fairdale Gdns. SW15 1E 12
Fairfax Clo. W on T 5A 20
Fairfax Ho. King T 5E 30
Fairfax M. SW15 1F 13
Fairfax Rd. W4 1B 6
Fairfax Rd. Tedd 3B 16
Fairfield Av. Twic 5G 9
Fairfield E. King T 6F 17 (3D 30)
Fairfield Ind. Est. King T 7G 17
Fairfield N. King T 6F 17 (3D 30)
Fairfield Pl. King T 7F 17 (5D 30)
Fairfield Rd. King T 6F 17 (4D 30)
Fairfield S. King T 6F 17 (4D 30)
Fairfields Rd. Houn 1H 9
Fairfield W. King T 6F 17 (4D 30)
Fairford Gdns. Wor Pk 6C 24
Fairholme Cres. Asht 6D 28
Fairholme Rd. W14 2H 7
Fairlands Av. Sutt 6K 25
Fairlawn Av. W4 1K 5
Fair Lawn Clo. Clay 3A 26
Fairlawn Clo. Felt 1E 14
Fairlawn Clo. King T 3K 17
Fairlawn Ct. W4 1K 5
Fairlawn Gro. W4 1K 5
Fairlawn Rd. SW19 4J 19
Fairlawns. Twic 3D 10
Fairlight Clo. Wor Pk 7F 25
Fairmead. Surb 5J 23
Fairmead Clo. N Mald 7A 18
Fairmead Ct. Rich 6J 5
Fairmile Ho. Tedd 1B 16
Fairoak La. Oxs & Chess 7A 26
Fairwater Ho. Tedd 1B 16
Fairway. SW20 7F 19
Fairway Clo. Eps 1K 27
Fairway Clo. Houn 2B 8
Fairways. Tedd 4E 16
Fairway, The. Lea 7B 28
Fairway, The. N Mald 5A 18
Fairway, The. W Mol 7G 15
Falcon Clo. W4 3K 5
Falcon Rd. Hamp 4E 14
Falconry Ct. King T 5D 30
Falcon Way. Felt 2A 8
Falkland Ho. W14 2J 7
(off Edith Vs.)
Falstaff M. Hamp H 2J 15
(off Parkside)
Fane St. W14 3J 7
Fanshawe Rd. Rich 1D 16
Fanthorpe St. SW15 7F 7
Faraday Mans. W14 3H 7
(off Queen's Club Gdns.)
Faraday Rd. SW19 3K 19
Faraday Rd. W Mol 1F 21
Fareham Rd. Felt 4B 8
Farlington Pl. SW15 4E 12
Farlow Rd. SW15 7G 7
Farm Clo. SW6 4K 7
Farm La. SW6 3K 7
Farm La. Asht 5H 29
Farm La. Trad. Est. SW6 3K 7
Farm Rd. Esh 5G 21
Farm Rd. Houn 5D 8
Farmstead. Eps 5H 27
Farm Way. Wor Pk 7F 25
Farnell M. SW5 2K 7
Farnell Rd. Iswth 1J 9
Farnham Gdns. SW20 6E 18
Faroe Rd. W14 1G 7
Farquhar Rd. SW19 7K 13
Farrer Ct. Twic 4E 10
Farrier Clo. Sun 7A 14
Farthings, The. King T 5H 17
Fassett Rd. King T 1F 23 (7C 30)
Fauconberg Ct. W4 3K 5
(off Fauconberg Rd.)
Fauconberg Rd. W4 3K 5
Favart Rd. SW6 5K 7
Fawcus Clo. Clay 3A 26

Fawe Pk. M.—Glebe Cotts.

Fawe Pk. M. *SW15* 1J **13**
Fawe Pk. Rd. *SW15* 1J **13**
Fearnley Cres. *Hamp* 2D **14**
Fee Farm Rd. *Clay* 4A **26**
Felbridge Ct. Felt *5A* ***8***
(off High St.)
Felcott Clo. *W on T* 7B **20**
Felcott Rd. *W on T* 7B **20**
Felden St. *SW6* 5J **7**
Felgate M. *W6* 1E **6**
Felix Rd. *W on T* 3A **20**
Fellbrook. *Rich* 7C **10**
Felsham M. SW15 *7G* ***7***
(off Felsham Rd.)
Felsham Rd. *SW15* 7F **7**
Feltham **6A 8**
Feltham Av. *E Mol* 1K **21**
Felthambrook Ind. Est. *Felt* 7A **8**
Felthambrook Way. *Felt* 7A **8**
Feltham Bus. Complex. *Felt* 6A **8**
Felthamhill Rd. *Felt* 1A **14**
Fendall Rd. *Eps* 2K **27**
Fenelon Pl. *W14* 1J **7**
Fenn Ho. *Iswth* 5C **4**
Ferguson Av. *Surb* 2G **23**
Fernbank Av. *W on T* 4D **20**
Ferney Meade Way. *Iswth* 6B **4**
Fern Gro. *Felt* 4A **8**
Fernhill Gdns. *King T* 2E **16**
Fernhurst Rd. *SW6* 5H **7**
Fernleigh Clo. *W on T* 7A **20**
Fernside Av. *Felt* 1A **14**
Ferry La. *SW13* 3C **6**
Ferry La. *Bren* 3F **5**
Ferry La. *Rich* 3G **5**
Ferrymoor. *Rich* 7C **10**
Ferry Quays. *Bren* 4E **4**
(in two parts)
Ferry Rd. *SW13* 4D **6**
Ferry Rd. *Tedd* 2C **16**
Ferry Rd. *Th Dit* 3C **22**
Ferry Rd. *Twic* 5C **10**
Ferry Rd. *W Mol* 7F **15**
Ferry Sq. *Bren* 4F **5**
Festing Rd. *SW15* 7G **7**
Field Clo. *Chess* 2D **26**
Field Clo. *W Mol* 2G **21**
Fieldcommon **4E 20**
Fieldcommon La. *W on T* 5D **20**
Field Ct. *SW19* 7K **13**
Field End. *Twic* 1A **16**
Fielding Av. *Twic* 7H **9**
Fielding Ho. W4 *3B* ***6***
(off Devonshire Rd.)
Fielding M. SW13 *3E* ***6***
(off Jenner Pl.)
Field La. *Bren* 4D **4**
Field La. *Tedd* 2B **16**
Field Pl. *N Mald* 3C **24**
Field Rd. *W6* 2H **7**
Field Rd. *Felt* 3A **8**
Fife Rd. *SW14* 2K **11**
Fife Rd. *King T* 6F **17** (3C **30**)
(in two parts)
Fifth Cross Rd. *Twic* 6J **9**
Filby Rd. *Chess* 3G **27**
Filmer Rd. *SW6* 5H **7**
Finborough Rd. *SW10* 2K **7**
Finchdean Ho. *SW15* 4C **12**
Finch Dri. *Felt* 4C **8**
Findon Clo. *SW18* 3K **13**
Finlays Clo. *Chess* 2H **27**
Finlay St. *SW6* 5G **7**
Finney La. *Iswth* 5B **4**
Fir Clo. *W on T* 4A **20**
Fircroft Rd. *Chess* 1G **27**
Firdene. *Surb* 5K **23**
Fire Bell La. *Surb* 3F **23**
Fir Gro. *N Mald* 3C **24**
Fir Rd. *Felt* 2C **14**
Fir Rd. *Sutt* 5J **25**
Firs Av. *SW14* 1K **11**
Firs Clo. *Clay* 3A **26**
First Av. *SW14* 7B **6**
First Av. *W on T* 3A **20**
First Av. *W Mol* 1E **20**
First Clo. *W Mol* 7H **15**
First Cross Rd. *Twic* 6K **9**
First Slip. *Lea* 7B **28**
Firstway. *SW20* 6F **19**
Firth Gdns. *SW6* 5H **7**
Fir Tree Rd. *Houn* 1D **8**
Fisher Clo. *W on T* 7A **20**
Fisherman Clo. *Rich* 1C **16**
Fisherman's Pl. *W4* 3C **6**
Fishers Dene. *Clay* 4B **26**
Fisher's La. *W4* 1A **6**
Fitzalan Rd. *Clay* 4A **26**
Fitzgeorge Av. *W14* 1H **7**
Fitzgeorge Av. *N Mald* 5A **18**
Fitzgerald Av. *SW14* 7B **6**
Fitzgerald Rd. *SW14* 7A **6**
Fitzgerald Rd. *Th Dit* 3B **22**
Fitzjames Av. *W14* 1H **7**
Fitzroy Cres. *W4* 4A **6**
Fitzwilliam Av. *Rich* 6G **5**
Fitzwilliam Ho. *Rich* 1E **10**
Fitzwygram Clo. *Hamp H* 2H **15**
Five Ways Bus. Cen. *Felt* 7A **8**
Flanders Mans. *W4* 1C **6**
Flanders Rd. *W4* 1B **6**
Flaxley Rd. *Mord* 4K **25**
Flaxman Ho. W4 *2B* ***6***
(off Devonshire St.)
Fleece Rd. *Surb* 5D **22**
Fleet Clo. *W Mol* 2E **20**
Fleet La. *W Mol* 3E **20**
Fleetside. *W Mol* 2E **20**
Fleetwood Clo. *Chess* 4E **26**
Fleetwood Rd. *King T* 7J **17**
Fleetwood Sq. *King T* 7J **17**
Fleming Way. *Iswth* 1A **10**
Fleur Gates. *SW19* 4G **13**
Flood La. *Twic* 5B **10**
Flora Gdns. W6 *1E* ***6***
(off Albion Gdns.)
Floral Ct. *Asht* 7D **28**
Florence Clo. *W on T* 4A **20**
Florence Ct. *SW19* 3H **19**
Florence Gdns. *W4* 3K **5**
Florence Ho. King T *4G* ***17***
(off Florence Rd)
Florence Rd. *SW19* 3K **19**
Florence Rd. *Felt* 5A **8**
Florence Rd. *King T* 4G **17**
Florence Rd. *W on T* 4A **20**
Florence Ter. *SW15* 7B **12**
Florian Rd. *SW15* 1H **13**
Floss St. *SW15* 6F **7**
Foley M. *Clay* 3A **26**
Foley Rd. *Clay* 3A & 4A **26**
Fontley Way. *SW15* 4D **12**
Footpath, The. *SW15* 3D **12**
Fordbridge Rd. *Sun* 1A **20**
Fordham. King T *6H* ***17***
(off Excelsior Clo.)
Foreman Ct. *Twic* 5A **10**
Forest Cres. *Asht* 5H **29**
Forest Rd. *Felt* 6B **8**
Forest Rd. *Rich* 4H **5**
Forest Rd. *Sutt* 5K **25**
Forest Side. *Wor Pk* 5C **24**
Forest Way. *Asht* 6G **29**
Forge Dri. *Clay* 4B **26**
Forge La. *Felt* 2D **14**
Forge La. *Sun* 7A **14**
Fortescue Av. *Twic* 7H **9**
Forty Footpath. *SW14* 7K **5**
Forum, The. *W Mol* 1G **21**
Foskett Rd. *SW6* 6J **7**
Foster Rd. *W4* 2A **6**
Foster's Way. *SW18* 5K **13**
Fountain Roundabout.
N Mald 1B **24**
Fountains Av. *Felt* 7E **8**
Fountains Clo. *Felt* 6E **8**
(in two parts)
Four Seasons Cres. *Sutt* 6J **25**
Four Sq. Ct. *Houn* 3F **9**
Fourth Cross Rd. *Twic* 6J **9**
Foxcombe Rd. *SW15* 5D **12**
Foxglove La. *Chess* 1H **27**
Fox Gro. *W on T* 4A **20**
Foxwarren. *Clay* 5A **26**
Foxwood Clo. *Felt* 7A **8**
Frampton Rd. *Houn* 2D **8**
Francis Clo. *Eps* 7A **24**
Francis Ct. Surb *1F* ***23***
(off Cranes Pk. Av.)
Francis Gro. *SW19* 3J **19**
(in two parts)
Frank Beswick Ho. SW6 *3J* ***7***
(off Clem Attlee Ct.)
Franklin Clo. *King T* 7H **17**
Franklin Sq. *W14* 2J **7**
Franklyn Rd. *W on T* 3A **20**
Franks Av. *N Mald* 1K **23**
Frank Soskice Ho. SW6 *3J* ***7***
(off Clem Attlee Ct.)
Fraser Ho. *Bren* 2G **5**
Fraser St. *W4* 2B **6**
Freehold Ind. Est. *Houn* 2B **8**
Freeman Dri. *W Mol* 1E **20**
French St. *Sun* 6B **14**
Frensham Dri. *SW15* 7C **12**
(in two parts)
Freshmount Gdns. *Eps* 7J **27**
Friars Av. *SW15* 7C **12**
Friars La. *Rich* 2E **10**
Friars Stile Pl. *Rich* 3F **11**
Friars Stile Rd. *Rich* 3F **11**
Frimley Clo. *SW19* 6H **13**
Frimley Rd. *Chess* 2E **26**
Friston St. *SW6* 6K **7**
Fritham Clo. *N Mald* 3B **24**
Frogmore. *SW18* 2K **13**
Frogmore Clo. *Sutt* 7G **25**
Frogmore Gdns. *Sutt* 7H **25**
Fulbourn. King T *6H* ***17***
(off Eureka Rd.)
Fulham **6H 7**
Fulham Broadway. (Junct.) **4K 7**
Fulham B'way. *SW6* 4K **7**
Fulham Ct. *SW6* 5K **7**
Fulham F.C. (Craven Cottage). **5G 7**
Fulham High St. *SW6* 6H **7**
Fulham Palace. (Mus. of) **6H 7**
Fulham Pal. Rd. *W6 & SW6* 2F **7**
Fulham Pk. Gdns. *SW6* 6J **7**
Fulham Pk. Rd. *SW6* 6J **7**
Fulham Rd. *SW6* 6H **7**
(in two parts)
Fullbrooks Av. *Wor Pk* 5C **24**
Fullers Av. *Surb* 6G **23**
Fuller's Griffin Brewery & Vis. Cen. **3C 6**
Fullers Way N. *Surb* 7G **23**
Fullers Way S. *Chess* 1F **27**
Fullerton Ct. *Tedd* 3B **16**
Fulmar Ct. *Surb* 3G **23**
Fulmer Clo. *Hamp* 2D **14**
Fulmer Way. *W13* 1C **4**
Fulstone Clo. *Houn* 1E **8**
Fulwell **1J 15**
Fulwell Pk. Av. *Twic* 6G **9**
Fulwell Rd. *Tedd* 1J **15**
Fulwood Gdns. *Twic* 3A **10**
Fulwood Wlk. *SW19* 5H **13**
Furber St. *W6* 1E **6**
Furrows, The. *W on T* 6B **20**

G

Gabriel Clo. *Felt* 1D **14**
Gadesden Rd. *Eps* 3K **27**
Gainsborough Clo. *Esh* 5K **21**
Gainsborough Ct. W4 *2J* ***5***
(off Chaseley Dri.)
Gainsborough Gdns. *Iswth* 2J **9**
Gainsborough Mans. W14 *3H* ***7***
(off Queen's Club Gdns.)
Gainsborough Rd. *W4* 1C **6**
Gainsborough Rd. *Eps* 6K **27**
Gainsborough Rd. *N Mald* 3A **24**
Gainsborough Rd. *Rich* 6G **5**
Galata Rd. *SW13* 4D **6**
Galba Ct. *Bren* 4E **4**
Gale Clo. *Hamp* 3D **14**
Galena Ho. W6 *1E* ***6***
(off Galena Rd.)
Galena Rd. *W6* 1E **6**
Galen Clo. *Eps* 7H **27**
Galgate Clo. *SW19* 5G **13**
Galsworthy Rd. *King T* 4J **17**
Galveston Rd. *SW15* 2J **13**
Gamlen Rd. *SW15* 1G **13**
Gander Grn. Cres. *Hamp* 5F **15**
Gander Grn. La. *Sutt* 6H **25**
Gap Rd. *SW19* 2K **19**
Garden Clo. *SW15* 4F **13**
Garden Clo. *Hamp* 2E **14**
Garden Ct. *W4* 1K **5**
Garden Ct. *Hamp* 2E **14**
Garden Ct. *Rich* 5G **5**
Gardener Gro. *Felt* 6E **8**
Garden Rd. *Rich* 7H **5**
Garden Rd. *W on T* 3A **20**
Gardens, The. *Esh* 7F **21**
Gardner Ho. *Felt* 6E **8**
Garendon Gdns. *Mord* 4K **25**
Garendon Rd. *Mord* 4K **25**
Gareth Clo. *Wor Pk* 6G **25**
Garfield Rd. *Twic* 5B **10**
Garratt La. *SW18 & SW17* 2K **13**
Garraway Ct. SW13 *4F* ***7***
(off Wyatt Dri.)
Garrick Clo. *Rich* 2E **10**
Garrick Clo. *W on T* 7A **20**
Garrick Gdns. *W Mol* 7F **15**
Garrick Ho. *W4* 3B **6**
Garrick Ho. *King T* 7C **30**
Garrick Rd. *Rich* 6H **5**
Garricks Ho. *King T* 4B **30**
Garrison Clo. *Houn* 2E **8**
Garrison La. *Chess* 4E **26**
Garsdale Ter. W14 *2J* ***7***
(off Aisgill Av.)
Garside Clo. *Hamp* 3G **15**
Garth Clo. *W4* 2A **6**
Garth Clo. *King T* 2G **17**
Garth Clo. *Mord* 4G **25**
Garth Ct. *W4* 2A **6**
Garth Rd. *W4* 2A **6**
Garth Rd. *King T* 2G **17**
Garth Rd. *Mord* 3F **25**
Garth Rd. Ind. Est. *Mord* 5G **25**
Garthside. *Ham* 2F **17**
Garth, The. *Hamp* 3G **15**
Gartmoor Gdns. *SW19* 5J **13**
Gastein Rd. *W6* 3G **7**
Gaston Bell Clo. *Rich* 7G **5**
Gate Cen., The. *Bren* 4B **4**
Gatehouse Clo. *King T* 4K **17**
Gateways. Surb *2F* ***23***
(off Surbiton Hill Rd.)
Gateways, The. Rich *1E* ***10***
(off Park La.)
Gatfield Gro. *Felt* 6F **9**
Gatfield Ho. *Felt* 6E **8**
Gatley Av. *Eps* 2J **27**
Gatwick Rd. *SW18* 4J **13**
Gay St. *SW15* 7G **7**
Gayton Clo. *Asht* 7F **29**
Gaywood Rd. *Asht* 7G **29**
Geneva Rd. *King T* 1F **23** (7D **30**)
Genoa Av. *SW15* 2F **13**
George Lindgren Ho. SW6 *4J* ***7***
(off Clem Attlee Ct.)
George Rd. *King T* 4J **17**
(in two parts)
George Rd. *N Mald* 1C **24**
George Sq. *SW19* 7K **19**
George's Sq. SW6 *3J* ***7***
(off N. End Rd.)
George St. *Rich* 2E **10**
George Wyver Clo. *SW19* 4H **13**
Georgia Rd. *N Mald* 1K **23**
Geraldine Rd. *W4* 3H **5**
Gerard Av. *Houn* 4F **9**
Gerard Rd. *SW13* 5C **6**
Gibbon Rd. *King T* 5F **17** (1D **30**)
Gibbon Wlk. *SW15* 1D **12**
Gibbs Grn. *W14* 2J **7**
(in two parts)
Gibbs Grn. Clo. *W14* 2J **7**
Gibson Clo. *Chess* 2D **26**
Gibson Clo. *Iswth* 1K **9**
Gibson Ct. *Esh* 6A **22**
Gibson Ho. *Sutt* 7K **25**
Gibson M. *Twic* 3D **10**
Giggshill **4B 22**
Giggshill Gdns. *Th Dit* 5B **22**
Giggshill Rd. *Th Dit* 4B **22**
Gilbert Ho. SW13 *4E* ***6***
(off Trinity Chu. Rd.)
Gilders Rd. *Chess* 4G **27**
Gillette Corner. (Junct.) **4B 4**
Gillian Pk. Rd. *Sutt* 5J **25**
Gilpin Av. *SW14* 1A **12**
Gilpin Cres. *Twic* 4G **9**
Gipsy La. *SW15* 7E **6**
Girdler's Rd. *W14* 1G **7**
Girdwood Rd. *SW18* 4H **13**
Gironde Rd. *SW6* 4J **7**
Glade Clo. *Surb* 6E **22**
Gladeside Clo. *Chess* 4E **26**
Gladioli Clo. *Hamp* 3F **15**
Gladsmuir Clo. *W on T* 6B **20**
Gladstone Av. *Felt* 3A **8**
Gladstone Av. *Twic* 5J **9**
Gladstone Pl. *E Mol* 2K **21**
Gladstone Rd. *SW19* 4K **19**
Gladstone Rd. *W4* 1A **6**
Gladstone Rd. *Asht* 7E **28**
Gladstone Rd. *King T* 7H **17**
Gladstone Rd. *Surb* 6E **22**
Gladwyn Rd. *SW15* 7G **7**
Glamorgan Rd.
King T 4D **16** (1A **30**)
Glasbrook Av. *Twic* 5E **8**
Glastonbury Rd. *Mord* 4K **25**
Glazbury Rd. *W14* 1H **7**
Glazebrook Rd. *Tedd* 4A **16**
Glebe Clo. *W4* 2B **6**
Glebe Cotts. *Felt* 7F **9**

Glebe Gdns. *N Mald* 4B **24**
Glebelands. *Clay* 5A **26**
Glebelands. *W Mol* 2G **21**
Glebe Rd. *SW13* 6D **6**
Glebe Rd. *Asht* 7E **28**
Glebe Side. *Twic* 3A **10**
Glebe St. *W4* 2B **6**
Glebe Ter. *W4* 2B **6**
Glebe, The. *Wor Pk* 5C **24**
Glebe Way. *Hanw* 7F **9**
Gledstanes Rd. *W14* 2H **7**
Glegg Pl. *SW15* 1G **13**
Glen Albyn Rd. *SW19* 6G **13**
Glenallan Ho. W14 1J 7
(off N. End Cres.)
Glenavon Clo. *Clay* 3B **26**
Glenavon Ct. *Wor Pk* 6E **24**
Glenbuck Rd. *Surb* 3E **22**
Glendale Dri. *SW19* 2J **19**
Glendarvon St. *SW15* 7G **7**
Glendower Gdns. *SW14* 7A **6**
Glendower Rd. *SW14* 7A **6**
Glenhurst Rd. *Bren* 3D **4**
Glenmill. *Hamp* 2E **14**
Glen Rd. *Chess* 1G **27**
Glentham Gdns. *SW13* 3E **6**
Glentham Rd. *SW13* 3D **6**
Glenthorne Clo. *Sutt* 5K **25**
Glenthorne Gdns. *Sutt* 5K **25**
Glenthorne M. *W6* 1E **6**
Glenthorne Rd. *W6* 1E **6**
Glenthorne Rd. *King T* 1G **23** (7E **30**)
Glenthorpe Av. *SW15* 1D **12**
Glenthorpe Rd. *Mord* 2G **25**
Glenville M. *SW18* 4K **13**
Glenville Rd. *King T* 5H **17**
Glen Wlk. *Iswth* 2J **9**
Gliddon Rd. *W14* 1H **7**
Gloster Rd. *N Mald* 1B **24**
Gloucester Clo. *Th Dit* 5B **22**
Gloucester Ct. *Rich* 4H **5**
Gloucester Ho. *Rich* 2H **11**
Gloucester Rd. *Felt* 5B **8**
Gloucester Rd. *Hamp* 4G **15**
Gloucester Rd. *Houn* 1D **8**
Gloucester Rd. *King T* 6H **17**
Gloucester Rd. *Rich* 4H **5**
Gloucester Rd. *Tedd* 2K **15**
Gloucester Rd. *Twic* 5H **9**
Gloxinia Wlk. *Hamp* 3F **15**
Glyn Rd. *Wor Pk* 6G **25**
Goater's All. SW6 4J 7
(off Dawes Rd.)
Goat Wharf. *Bren* 3F **5**
Godfrey Av. *Twic* 4J **9**
Godfrey Way. *Houn* 4D **8**
Godstone Rd. *Twic* 3C **10**
Godwin Clo. *Eps* 3K **27**
Goldcliff Clo. *Mord* 4K **25**
Golden Ct. *Rich* 2E **10**
Goldhawk Rd. *W6 & W12* 1C **6**
Golding Clo. *Chess* 3D **26**
Golf Club Dri. *King T* 4A **18**
Golf Side. *Twic* 7J **9**
Golfside Clo. *N Mald* 6B **18**
Gomer Gdns. *Tedd* 3B **16**
Gomer Pl. *Tedd* 3B **16**
Gonston Clo. *SW19* 6H **13**
Gonville St. *SW6* 7H **7**
Goodenough Rd. *SW19* 4J **19**
Gooding Clo. *N Mald* 1K **23**
Goodwood Clo. *Mord* 1K **25**
Gordon Av. *SW14* 1B **12**
Gordon Av. *Twic* 2B **10**
Gordondale Rd. *SW19* 6K **13**
Gordon Rd. *W4* 3J **5**
Gordon Rd. *Houn* 1H **9**
Gordon Rd. *King T* 5G **17** (2E **30**)
Gordon Rd. *Rich* 6G **5**
Gordon Rd. *Surb* 4G **23**
Gore Rd. *SW20* 6F **19**
Gorleston St. *W14* 1H **7**
(in two parts)
Gosbury Hill. *Chess* 1F **27**
Gosfield Rd. *Eps* 1K **29**
Gostling Rd. *Twic* 5F **9**
Gothic Rd. *Twic* 6J **9**
Gough Ho. *King T* 3C **30**
Gould Rd. *Twic* 5K **9**
Gowan Av. *SW6* 5H **7**
Gower Rd. *Iswth* 3A **4**
Graburn Way. *E Mol* 7J **15**
Graemesdyke Av. *SW14* 7J **5**
Grafton Clo. *Houn* 5D **8**
Grafton Clo. *Wor Pk* 7B **24**
Grafton Pk. Rd. *Wor Pk* 6B **24**
Grafton Rd. *N Mald* 7B **18**
Grafton Rd. *Wor Pk* 7A **24**
Grafton Way. *W Mol* 1E **20**
Graham Gdns. *Surb* 5F **23**
Graham Rd. *SW19* 4J **19**
Graham Rd. *Hamp* 1F **15**
Grainger Rd. *Iswth* 6A **4**
Granard Av. *SW15* 2E **12**
Grand Av. *Surb* 2J **23**
Grand Dri. *SW20* 6F **19**
Grandfield Ct. *W4* 3A **6**
Grandison Rd. *Wor Pk* 6F **25**
Grand Pde. SW14 1K 11
(off Up. Richmond Rd. W.)
Grand Pde. *Surb* 5H **23**
Grand Pde. M. *SW15* 2H **13**
Grange Av. *Twic* 6K **9**
Grange Clo. *W Mol* 1G **21**
Grange Lodge. *SW19* 3G **19**
Grange Pk. Pl. *SW20* 4E **18**
Grange Rd. *SW13* 5D **6**
Grange Rd. *W4* 2J **5**
Grange Rd. *Chess* 1F **27**
Grange Rd. *King T* 7F **17** (5C **30**)
Grange Rd. *W Mol* 1G **21**
Grange, The. *SW19* 3G **19**
Grange, The. *W4* 2J **5**
Grange, The. *W14* 1J **7**
Grange, The. *N Mald* 2C **24**
Grange, The. *W on T* 6A **20**
Grange, The. *Wor Pk* 7A **24**
Grantchester. King T 6H 17
(off St Peters Rd.)
Grantham Ct. *King T* 2E **16**
Grantham Rd. *W4* 4B **6**
Grant Way. *Iswth* 3B **4**
Granville Av. *Houn* 2F **9**
Granville Rd. *SW18* 4J **13**
Granville Rd. *SW19* 4K **19**
Grapsome Clo. *Chess* 4D **26**
Grasmere Av. *SW15* 1A **18**
Grasmere Av. *SW19* 7K **19**
Grasmere Av. *Houn* 3G **9**
Grasmere Ct. SW13 3D 6
(off Verdun Rd.)
Gratton Rd. *W14* 1H **7**
Gravel Rd. *Twic* 5K **9**
Grayham Cres. *N Mald* 1A **24**
Grayham Rd. *N Mald* 1A **24**
Gray's La. *Asht* 7G **29**
(in two parts)
Grayswood Gdns. *SW20* 6E **18**
Gt. Chertsey Rd. *W4* 6K **5**
Gt. Chertsey Rd. *Felt & Twic* 7E **8**
Gt. Church La. *W6* 1G **7**
Greatham Wlk. *SW15* 5D **12**
Gt. West Rd. *W4 & W6* 2C **6**
Gt. West Rd. *Iswth & Bren* 4A **4**
Gt. West Trad. Est. *Bren* 3C **4**
Grebe Ter. *King T* 7F **17** (5C **30**)
Green Clo. *Felt* 2D **14**
Grn. Dragon La. *Bren* 2F **5**
Green End. *Chess* 1F **27**
Greenfield Av. *Surb* 4J **23**
Green Hedge. *Twic* 2D **10**
Green La. *Asht* 6D **28**
Green La. *Chess* 5E **26**
(in two parts)
Green La. *Felt* 2D **14**
Green La. *Houn* 1A **8**
Green La. *Mord* 4F **25**
(Battersea Cemetery)
Green La. *Mord* 3K **25**
(Morden)
Green La. *N Mald* 2K **23**
Green La. *W Mol* 2G **21**
Green La. *Wor Pk* 5D **24**
Greenlaw Gdns. *N Mald* 4C **24**
Green Leas. *King T* 5D **30**
Grn. Man La. *Felt* 1A **8**
Greenoak Way. *SW19* 1G **19**
Greenock Rd. *W3* 1J **5**
Green Pde. *Houn* 2G **9**
Greenslade Av. *Asht* 7J **29**
Greenstead Gdns. *SW15* 2E **12**
Green St. *Sun* 7A **14**
Green, The. *SW19* 2G **19**
Green, The. *Clay* 3A **26**
Green, The. *Felt* 6A **8**
Green, The. *Mord* 1H **25**
Green, The. *N Mald* 7A **18**
Green, The. *Rich* 2E **10**
Green, The. *Sutt* 7K **25**
Green, The. *Twic* 5K **9**
Green Vw. *Chess* 4G **27**
Green Wlk. *Hamp* 3E **14**
Greenway. *SW20* 1F **25**
Greenways. *Esh* 7K **21** & 1A **26**
Greenways, The. *Twic* 3B **10**
Greenway, The. *Eps* 3H **29**
Greenway, The. *Houn* 1E **8**
Greenwood Clo. *Mord* 1H **25**
Greenwood Clo. *Th Dit* 5B **22**
Greenwood La. *Hamp H* 2G **15**
Greenwood Pk. *King T* 4B **18**
Greenwood Rd. *Iswth* 7A **4**
Greenwood Rd. *Th Dit* 5B **22**
Grena Gdns. *Rich* 1G **11**
Grena Rd. *Rich* 1G **11**
Grenville Clo. *Surb* 5K **23**
Grenville M. *Hamp* 2G **15**
Gresham Rd. *Hamp* 3F **15**
Gresham Way. *SW19* 7K **13**
Gressenhall Rd. *SW18* 3J **13**
Greswell St. *SW6* 5G **7**
Greville Clo. *Asht* 7F **29**
Greville Clo. *Twic* 4C **10**
Greville Ct. *Asht* 7F **29**
Greville Pk. Av. *Asht* 7F **29**
Greville Pk. Rd. *Asht* 7F **29**
Greville Rd. *Rich* 3G **11**
Greyhound Mans. W6 3H 7
(off Greyhound Rd.)
Greyhound Rd. *W6 & W14* 3G **7**
Griffin Cen. *Felt* 2A **8**
Griffin Cen., The. *King T* 4B **30**
Griffin Ct. *W4* 2C **6**
Griffin Ct. *Bren* 3F **5**
Griffin Ho. W6 1G 7
(off Hammersmith Rd.)
Griffiths Clo. *Wor Pk* 6E **24**
Griffiths Rd. *SW19* 4K **19**
Grimston Rd. *SW6* 6J **7**
Grimwood Rd. *Twic* 4A **10**
Grogan Clo. *Hamp* 3E **14**
Grosse Way. *SW15* 3E **12**
Grosvenor Av. *SW14* 7B **6**
Grosvenor Av. *Rich* 2F **11**
Grosvenor Gdns. *SW14* 7B **6**
Grosvenor Gdns. *King T* 3E **16**
Grosvenor Hill. *SW19* 3H **19**
Grosvenor Rd. *W4* 2J **5**
Grosvenor Rd. *Bren* 3E **4**
Grosvenor Rd. *Houn* 1E **8**
Grosvenor Rd. *Rich* 2F **11**
Grosvenor Rd. *Twic* 5B **10**
Grotto Rd. *Twic* 6A **10**
Grove Av. *Twic* 5A **10**
Grove Clo. *Eps* 6H **27**
Grove Clo. *Felt* 1D **14**
Grove Clo. *King T* 1G **23** (7E **30**)
Grove Cotts. *W4* 3B **6**
Grove Ct. *E Mol* 1J **21**
Grove Ct. *Houn* 1F **9**
Grove Ct. *King T* 6C **30**
Grove Cres. *Felt* 1D **14**
Grove Cres. *King T* 7F **17** (6C **30**)
Grove Cres. *W on T* 4A **20**
Grove End La. *Esh* 5J **21**
Grove Footpath. *Surb* 1F **23** (7D **30**)
Grove Gdns. *Rich* 3G **11**
Grove Gdns. *Tedd* 1B **16**
Grovelands. King T 1E 22
(off Palace Rd.)
Grovelands. *W Mol* 1F **21**
Groveland Way. *N Mald* 2K **23**
Grove La. *King T* 1F **23** (7D **30**)
Grove Park. **5K** 5
Gro. Park Bri. *W4* 4K **5**
Gro. Park Gdns. *W4* 4J **5**
Gro. Park M. *W4* 4K **5**
Gro. Park. Rd. *W4* 4J **5**
Gro. Park Ter. *W4* 4J **5**
(in two parts)
Grove Rd. *SW13* 6C **6**
Grove Rd. *Asht* 7G **29**
Grove Rd. *Bren* 2D **4**
Grove Rd. *E Mol* 1J **21**
Grove Rd. *Houn* 1F **9**
Grove Rd. *Iswth* 5A **4**
Grove Rd. *Rich* 3G **11**
Grove Rd. *Surb* 2E **22**
Grove Rd. *Twic* 7J **9**
Grove Ter. *Tedd* 1B **16**
Grove, The. *Iswth* 5A **4**
Grove, The. *Tedd* 1B **16**
Grove, The. *Twic* 3C **10**
Grove, The. *W on T* 4A **20**
Grove Way. *Esh* 4H **21**
Grovewood. *Rich* 5H **5**
Guildhall. 6E 16 (4B 30)
Guilford Av. *Surb* 2G **23**
Guinness Trust Bldgs. W6 2G 7
(off Fulham Pal. Rd.)
Guion Rd. *SW6* 6J **7**
Gumleigh Rd. *W5* 1D **4**
Gumley Gdns. *Iswth* 7B **4**
Gunnersbury. **2J** 5
Gunnersbury Av. *W5 & W3,W4* 1H **5**
Gunnersbury Clo. *W4* 2J **5**
Gunnersbury M. *W4* 2J **5**
Gunterstone Rd. *W14* 1H **7**
Gwalior Rd. *SW15* 1G **13**
Gwendolen Av. *SW15* 1G **13**
Gwendolen Clo. *SW15* 2G **13**
Gwendwr Rd. *W14* 2H **7**
Gwynne Clo. *W4* 3C **6**

H

Haarlem Rd. *W14* 1G **7**
Haddon Clo. *N Mald* 2C **24**
Hadleigh Clo. *SW20* 6J **19**
Hadley Gdns. *W4* 2A **6**
Haggard Rd. *Twic* 4C **10**
Haig Pl. *Mord* 3K **25**
Hailsham Clo. *Surb* 4E **22**
Haining Clo. *W4* 2H **5**
Haldane Rd. *SW6* 4J **7**
Haldon Rd. *SW18* 3J **13**
Halesowen Rd. *Mord* 4K **25**
Half Acre. *Bren* 3E **4**
Halford Rd. *SW6* 3K **7**
Halford Rd. *Rich* 2F **11**
Halfway Grn. *W on T* 7A **20**
Haliburton Rd. *Twic* 2B **10**
Halifax Clo. *Tedd* 3K **15**
Hallam Rd. *SW13* 7E **6**
Hall Ct. *Tedd* 2A **16**
Hall Farm Dri. *Twic* 4J **9**
Halliford Rd. *Shep & Sun* 1A **20**
Hallmead Rd. *Sutt* 7K **25**
Hall Rd. *Iswth* 2J **9**
Ham. **7D** 10
Hambledon Hill. *Eps* 5K **29**
Hambledon Rd. *SW18* 4J **13**
Hambledon Va. *Eps* 5K **29**
Hambleton Clo. *Wor Pk* 6F **25**
Ham Clo. *Rich* 7D **10**
(in two parts)
Ham Comn. *Rich* 7E **10**
Ham Farm Rd. *Rich* 1E **16**
Ham Ga. Av. *Rich* 7E **10**
Hamhill. **3A** 14
Ham House. 5D 10
Hamilton Av. *Surb* 6H **23**
Hamilton Av. *Sutt* 6H **25**
Hamilton Clo. *Eps* 1K **29**
Hamilton Ct. *SW15* 7H **7**
Hamilton Cres. *Houn* 2G **9**
Hamilton Ho. *W4* 3B **6**
Hamilton M. *SW18* 5K **13**
Hamilton M. *SW19* 4K **19**
Hamilton Pl. *Sun* 4A **14**
Hamilton Rd. *Bren* 3E **4**
Hamilton Rd. *Twic* 5K **9**
Hamlet Ct. *W6* 1D **6**
Hamlet Gdns. *W6* 1D **6**
Hammersmith. **1F** 7
Hammersmith Bri. *SW13 & W6* 3E **6**
Hammersmith Bri. Rd. *W6* 2F **7**
Hammersmith Broadway. (Junct.) **1F 7**
Hammersmith B'way. *W6* 1F **7**
Hammersmith Flyover (Junct.) **2F 7**
Hammersmith Flyover. *W6* 2F **7**
Hammersmith Gro. *W6* 1F **7**
Hammersmith Ind. Est. *W6* 3F **7**
Hammersmith Rd. *W6 & W14* 1G **7**
Hammersmith Ter. *W6* 2D **6**
Hammond Clo. *Hamp* 5F **15**
Hampden Rd. *King T* 7H **17**
Hampshire Hog La. *W6* 2E **6**
Hampton. **5G** 15
Hampton & Richmond Borough F.C. 5G 15
Hampton Clo. *SW20* 4F **19**
Hampton Court. **1K** 21
Hampton Court. (Junct.) **7K 15**
Hampton Ct. Av. *E Mol* 3J **21**
Hampton Ct. Bri. *E Mol* 1K **21**
Hampton Ct. Cres. *E Mol* 7J **15**
Hampton Court Palace. 1A 22
Hampton Ct. Pde. *E Mol* 1K **21**

Hollies Clo.—Kenyngton Ct.

Hollies Clo. Twic 6A 10
Hollies Rd. W5 1D 4
Hollingsworth Ct. Surb 4E 22
Hollington Cres. N Mald 3C 24
Hollingworth Clo. W Mol 1E 20
Hollows, The. Bren 3G 5
Holly Av. W on T 5C 20
Hollybank Clo. Hamp 2F 15
Holly Bush La. Hamp 4E 14
Hollybush Rd. King T 2F 17
Holly Clo. Felt 2D 14
Hollyfield Rd. Surb 4G 23
Hollygrove Clo. Houn 1E 8
Holly Ho. Iswth 3D 4
Holly Rd. W4 1A 6
Holly Rd. Hamp 3H 15
Holly Rd. Houn 1G 9
Holly Rd. Twic 5A 10
Holly Tree Clo. SW19 5G 13
Holman Hunt Ho. W6 2H 7
(off Field Rd.)
Holman Rd. Eps 2K 27
Holmbush Rd. SW15 3H 13
Holmesdale Av. SW14 7J 5
Holmesdale Rd. Rich 5G 5
Holmesdale Rd. Tedd 4D 16
Holmes Rd. Twic 6A 10
Holmoak Clo. SW15 3J 13
Holmsley Clo. N Mald 3C 24
Holmsley Ho. SW15 4C 12
(off Tangley Gro.)
Holmwood Rd. Chess 2E 26
Holne Chase. Mord 3J 25
Holroyd Clo. Clay 5A 26
Holroyd Rd. SW15 1F 13
Holroyd Rd. Clay 5A 26
Holst Mans. SW13 3F 7
Holsworthy Way. Chess 2D 26
Holt, The. Mord 1K 25
Holwood Clo. W on T 6B 20
Holybourne Av. SW15 4D 12
Holyhead Ct. King T 7B 30
Holyport Rd. SW6 4G 7
Home Ct. Surb 2E 22
Home Farm Clo. Th Dit 4A 22
Home Farm Gdns. W on T 6B 20
Homefield. Mord 1K 25
Homefield Rd. SW19 3G 19
Homefield Rd. W4 1C 6
Homefield Rd. W on T 4D 20
Home Pk. Ct. King T 1E 22
(off Palace Rd.)
Home Pk. Pde. King T 3A 30
Home Pk. Rd. SW19 1J 19
Home Pk. Ter. King T 3A 30
Home Pk. Wlk. King T 1E 22
Homersham Rd. King T 6H 17
Homestead Rd. SW6 4J 7
Homewood Clo. Hamp 3E 14
Honeywood Rd. Iswth 1B 10
Hood Av. SW14 2K 11
Hood Rd. SW20 4C 18
Hook 2E 26
Hookfield. Eps 2K 29
Hookfield M. Eps 2K 29
Hook Junction. (Junct.) 7E 22
Hook Ri. Bus. Cen. Chess 7H 23
Hook Ri. N. Surb 7F 23
Hook Ri. S. Surb 7F 23
Hook Ri. S. Ind. Pk. Chess 7G 23
Hook Rd. Chess & Surb 2E 26
Hook Rd. Eps 4K 27
Hope Clo. Bren 2F 5
Hoppingwood Av. N Mald 7B 18
Hopton Gdns. N Mald 3D 24
Horace Rd. King T 7G 17 (6E 30)
Horatio Ho. W6 2G 7
(off Fulham Pal. Rd.)
Horatio Pl. SW19 5K 19
Horder Rd. SW6 5H 7
Hornbeam Cres. Bren 4C 4
Hornbeam Wlk. Rich 6G 11
Hornchurch Clo. King T 1E 16
Horndean Clo. SW15 5D 12
Horne Way. SW15 6F 7
Horse Fair. King T 6E 16 (3A 30)
Horsley Clo. Eps 2K 29
Horsley Dri. King T 2E 16
Horticultural Pl. W4 2A 6
Horton 7K 27
Horton Country Pk. 6G 27
Horton Footpath. Eps 7K 27
Horton Gdns. Eps 7K 27
Horton Hill. Eps 7K 27
Horton Ho. W6 2H 7
(off Field Rd.)
Horton La. Eps 7H 27
Horton Pk. Children's Farm. 6H 27
Hospital Bri. Rd. Twic 4G 9
Hospital Bridge Roundabout. (Junct.) 6G 9
Hospital Rd. Houn 1F 9
Hotham Clo. W Mol 7F 15
Hotham Rd. SW15 7F 7
Houblon Rd. Rich 2F 11
Houghton Clo. Hamp 3D 14
Hounslow 1G 9
Hounslow Av. Houn 2G 9
Hounslow Bus. Pk. Houn 1F 9
Hounslow Gdns. Houn 2G 9
Hounslow Rd. Felt 5A 8
Hounslow Rd. Hanw 1C 14
Hounslow Rd. Twic 3G 9
Hounslow West 1C 8
Houston Pl. Esh 5J 21
Houston Rd. Surb 3C 22
Howard Clo. Asht 7G 29
Howard Clo. Hamp 4H 15
Howard Rd. Iswth 7A 4
Howard Rd. N Mald 7B 18
Howard Rd. Surb 3G 23
Howard's La. SW15 1E 12
Howard St. Th Dit 4C 22
Howden Ho. Houn 4D 8
Howgate Rd. SW14 7A 6
Howsman Rd. SW13 3D 6
Howson Ter. Rich 3F 11
Hubbard Dri. Chess 3E 26
Hugh Dalton Av. SW6 3J 7
Hughenden Rd. Wor Pk 4D 24
Hugh Gaitskell Clo. SW6 3J 7
Hugh Herland Ho.
King T 7F 17 (6D 30)
Hugon Rd. SW6 7K 7
Humbolt Rd. W6 3H 7
Hunston Rd. Mord 5K 25
Hunter Ct. Eps 6H 27
Hunter Ho. SW5 2K 7
(off Old Brompton Rd.)
Hunter Rd. SW20 5F 19
Hunters Clo. Eps 2K 29
Hunters Ct. Rich 2E 10
Hunter's Rd. Chess 7F 23
Huntingdon Gdns. W4 4K 5
Huntingdon Gdns. Wor Pk 7F 25
Huntingfield Rd. SW15 1D 12
Hunting Ga. Dri. Chess 4F 27
Hunting Ga. M. Twic 5K 9
Huntley Way. SW20 6D 18
Huntsmans Clo. Felt 1A 14
Huntsmoor Rd. Eps 2K 27
Hurley Clo. W on T 6A 20
Hurlingham 7K 7
Hurlingham Bus. Pk. SW6 7K 7
Hurlingham Club, The. 7K 7
Hurlingham Ct. SW6 7J 7
Hurlingham Gdns. SW6 7J 7
Hurlingham Rd. SW6 6J 7
Hurlingham Sq. SW6 7K 7
Hurstbourne. Clay 3A 26
Hurstbourne Ho. SW15 3C 12
(off Tangley Gro.)
Hurst Clo. Chess 2H 27
Hurstcourt Rd. Sutt 6K 25
Hurstfield Rd. W Mol 7F 15
Hurst La. E Mol 1H 21
Hurst Park 6H 15
Hurst Rd. W on T & W Mol 2B 20
Hurtwood Rd. W on T 4E 20
Hussars Clo. Houn 1D 8
Hyacinth Clo. Hamp 3F 15
Hyacinth Rd. SW15 5D 12
Hyde Rd. Rich 2G 11
Hyde Wlk. Mord 4K 25
Hylands Clo. Eps 4K 29
Hylands M. Eps 4K 29
Hylands Rd. Eps 4K 29
Hythe Ho. W6 1F 7
(off Shepherd's Bush Rd.)

I

Ibberton Ho. W14 1H 7
(off Russell Rd.)
Ibis La. W4 5K 5
Ibsley Gdns. SW15 5D 12
Idmiston Rd. Wor Pk 4C 24
Idmiston Sq. Wor Pk 4C 24
Iffley Rd. W6 1E 6
Ilex Clo. Sun 6B 14
Imber Clo. Esh 5J 21
Imber Ct. Trad. Est. E Mol 3J 21
Imber Cross. Th Dit 3A 22
Imber Gro. Esh 4J 21
Imber Pk. Rd. Esh 5J 21
Inglethorpe St. SW6 5G 7
Ingress St. W4 2B 6
Inkerman Ter. W8 1K 7
(off Allen St.)
Inner Pk. Rd. SW19 5G 13
Innes Clo. SW20 6H 19
Innes Gdns. SW15 3E 12
Interface Ho. Houn 1F 9
(off Staines Rd.)
Inveresk Gdns. Wor Pk 7D 24
Inverness Rd. Houn 1E 8
Inverness Rd. Wor Pk 5G 25
Inwood Av. Houn 1H 9
Inwood Ct. W on T 6B 20
Inwood Rd. Houn 1G 9
Iona Clo. Mord 4K 25
Irene Rd. SW6 5K 7
Iris Clo. Surb 4G 23
Iris Rd. W Ewe 2J 27
Irving Mans. W14 3H 7
(off Queen's Club Gdns.)
Isabel Hill Clo. Hamp 6G 15
Isabella Ct. Rich 3G 11
(off Kings Mead)
Isabella Ho. W6 2F 7
(off Queen Caroline St.)
Isabella Plantation 1J 17
Isis Clo. SW15 1F 13
Isis Ct. W4 4J 5
Island Farm Av. W Mol 2E 20
Island Farm Rd. W Mol 2E 20
Island, The. Th Dit 3B 22
Islay Gdns. Houn 2C 8
Isleworth 7B 4
Isleworth Bus. Complex.
Iswth 6A 4
Isleworth Promenade. Twic 1C 10
Ivatt Pl. W14 2J 7
Ivybridge Clo. Twic 4B 10
Ivy Bri. Retail Pk. Iswth 2A 10
Ivy Clo. Sun 6B 14
Ivy Cres. W4 1K 5
Ivydene. W Mol 2E 20
Ivy La. Houn 1E 8
Ivy Rd. Houn 1G 9
Ivy Rd. Surb 5H 23

J

Jacaranda Clo. N Mald 7B 18
Jack Goodchild Way. King T 7J 17
Jackson Clo. Eps 3K 29
Jackson Way. Eps 5H 27
James's Cotts. Rich 4H 5
James St. Houn 1J 9
James Ter. SW14 7A 6
(off Church Path)
Jamieson Ho. Houn 3E 8
Jasmine Ct. SW19 2K 19
Jasmine Way. E Mol 1K 21
Jasmin Rd. Eps 2J 27
Jefferson Clo. W13 1C 4
Jeffs Clo. Hamp 3G 15
Jemmett Clo. King T 5J 17
Jenner Pl. SW13 3E 6
Jenner Way. Eps 5H 27
Jennings Clo. Surb 4D 22
Jephtha Rd. SW18 3K 13
Jerdan Pl. SW6 4K 7
Jerome Ho. Hamp W 3A 30
Jersey Rd. Houn & Iswth 3A 4
Jessel Mans. W14 3H 7
(off Queen's Club Gdns.)
Jillian Clo. Hamp 4F 15
Jim Griffiths Ho. SW6 3J 7
(off Clem Attlee Ct.)
Joanna Ho. W6 2F 7
(off Queen Caroline St.)
Jocelyn Rd. Rich 7F 5
Jodrell Clo. Iswth 5B 4
John Austin Clo.
King T 5G 17 (2E 30)
John Goddard Way. Felt 6A 8
John Knight Lodge. SW6 4K 7
John Smith Av. SW6 4J 7
Johnson Mans. W14 3H 7
(off Queen's Club Gdns.)
Johnsons Dri. Hamp 5H 15
John Strachey Ho. SW6 3J 7
(off Clem Attlee Ct.)
John Watkin Clo. Eps 5J 27
John Wesley Ct. Twic 5B 10
John Wheatley Ho. SW6 3J 7
(off Clem Attlee Ct.)
John Williams Clo.
King T 5E 16 (1B 30)
Jones M. SW15 1H 13
Jones Wlk. Rich 3G 11
Jonquil Gdns. Hamp 3F 15
Jordans Clo. Iswth 5A 4
Jordans M. Twic 6K 9
Joseph Locke Way. Esh 6F 21
Jubilee Av. Twic 5H 9
Jubilee Clo. King T 5D 16 (2A 30)
Jubilee Ct. Houn 1H 9
(off Bristow Rd.)
Jubilee Vs. Esh 5J 21
Jubilee Way. Chess 1H 27
Julien Rd. W5 1D 4
Junction Rd. W5 1D 4
Juniper Clo. Chess 2G 27
Juniper Ct. Houn 1G 9
(off Grove Rd.)
Justin Clo. Bren 4E 4

K

Katherine Rd. Twic 5B 10
Kathleen Godfree Ct. SW19 3K 19
Kean Ho. Twic 3E 10
(off Arosa Rd.)
Keble Clo. Wor Pk 5C 24
Keble Pl. SW13 3E 6
Kedeston Ct. Sutt 5K 25
Keepers M. Tedd 3D 16
Keep, The. King T 3G 17
Keevil Dri. SW19 4G 13
Keir Hardie Ho. W6 3G 7
(off Fulham Pal. Rd.)
Keir, The. SW19 2F 19
Kelvedon Clo. King T 3H 17
Kelvedon Rd. SW6 4J 7
Kelvin Av. Tedd 3K 15
Kelvinbrook. W Mol 7G 15
Kelvin Clo. Eps 3H 27
Kelvin Ct. Iswth 6A 4
Kelvin Dri. Twic 3C 10
Kelvin Gro. Chess 7E 22
Kempsford Gdns. SW5 2K 7
Kempson Rd. SW6 5K 7
Kempton Av. Sun 5A 14
Kempton Ct. Sun 5A 14
Kempton Pk. Racecourse 4B 14
Kempton Rd. Hamp 6E 14
(in three parts)
Kendall Rd. Iswth 6B 4
Kendal Pl. SW15 2J 13
Kendor Av. Eps 7K 27
Kendrey Gdns. Twic 4K 9
Kenilworth Av. SW19 2K 19
Kenilworth Dri. W on T 7C 20
Kenley Rd. SW19 6K 19
Kenley Rd. King T 6J 17
Kenley Rd. Twic 3C 10
Kenmore Clo. Rich 4H 5
Kenneth Younger Ho. SW6 3J 7
(off Clem Attlee Ct.)
Kennet Rd. Iswth 7A 4
Kennett Ct. W4 4J 5
Kensington Cen. W14 1H 7
(in two parts)
Kensington Gdns.
King T 7E 16 (6B 30)
(in two parts)
Kensington Hall Gdns. W14 2J 7
Kensington High St.
W14 & W8 1J 7
Kensington Mans. SW5 2K 7
(off Trebovir Rd., in two parts)
Kensington Village. W14 1J 7
Kensington W. W14 1H 7
Kent Dri. Tedd 2K 15
Kent Ho. W4 2B 6
(off Devonshire St.)
Kenton Av. Sun 6C 14
Kenton Ct. W14 1J 7
Kenton Ct. Twic 3E 10
Kent Rd. W4 1K 5
Kent Rd. E Mol 1H 21
Kent Rd. King T 7E 16 (5B 30)
Kent Rd. Rich 4H 5
Kent's Pas. Hamp 5E 14
Kent Way. Surb 7F 23
Kentwode Grn. SW13 4D 6
Kenway Rd. SW5 1K 7
Kenwyn Rd. SW20 5F 19
Kenyngton Ct. Sun 2A 14

Kenyngton Dri.—Lebanon Pk.

Kenyngton Dri. Sun 2A 14
Kenyon Mans. W14 3H 7
(off Queen's Club Gdns.)
Kenyon St. SW6 5G 7
Kersfield Rd. SW15 3G 13
Keston Ct. Surb 2G 23
(off Cranes Pk.)
Kestrel Clo. Eps 7J 27
Kestrel Clo. King T 1E 16
Keswick Av. SW15 2B 18
Keswick Av. SW19 6K 19
Keswick Rd. SW15 2H 13
Keswick Rd. Twic 3H 9
Kew 4H 5
Kew Bridge. (Junct.) 3H 5
Kew Bri. Bren 3G 5
Kew Bri. Arches. Rich 3H 5
Kew Bri. Ct. W4 2H 5
Kew Bri. Distribution Cen.
Bren 2G 5
Kew Bri. Rd. Bren 3G 5
Kew Bridge Steam Mus. 2G 5
Kew Cres. Sutt 7H 25
Kew Foot Rd. Rich 1F 11
Kew Gardens 5F 5
Kew Gdns. Rd. Rich 4G 5
Kew Green (Junct.) 4G 5
Kew Grn. Rich 3G 5
Kew Mdw. Path. Rich 6K 5
(Thames Bank)
Kew Mdw. Path. Rich 5J 5
(W. Park Av.)
Kew Palace 4F 5
Kew Retail Pk. Rich 5J 5
Kew Rd. Rich 3H 5
Keynsham Rd. Mord 5K 25
Killick Ho. Sutt 7K 25
Kilmaine Rd. SW6 4H 7
Kilmarsh Rd. W6 1F 7
Kilmington Rd. SW13 3D 6
Kilmorey Gdns. Twic 2C 10
Kilmorey Rd. Twic 1C 10
Kilnside. Clay 4B 26
Kilsha Rd. W on T 3B 20
Kimbell Gdns. SW6 5H 7
Kimberley Wlk. W on T 4A 20
Kimber Rd. SW18 4K 13
Kimpton Ind. Est. Sutt 6J 25
Kimpton Rd. Sutt 6J 25
Kincha Lodge. King T 1E 30
King Charles Cres. Surb 4G 23
King Charles Rd. Surb 2G 23
King Charles Wlk. SW19 5H 13
King Edward Dri. Chess 7F 23
King Edward M. SW13 5D 6
King Edwards Gro. Tedd 3C 16
King Edwards Mans. SW6 4K 7
(off Fulham Rd.)
Kingfisher Ct. SW19 6G 13
Kingfisher Ct. Houn 2G 9
Kingfisher Dri. Rich 1C 16
King George Av. W on T 5C 20
King George Sq. Rich 3G 11
King George's Trad. Est.
Chess 1H 27
King Henry's Reach. W6 3F 7
King Henry's Rd. King T 7J 17
King's Arms All. Bren 3E 4
Kings Av. N Mald 1B 24
Kingsbridge Rd. Mord 3G 25
Kingsbridge Rd. W on T 4A 20
Kingsbrook. Lea 7B 28
Kings Chase. E Mol 7H 15
Kingsclere Clo. SW15 4D 12
Kingscliffe Gdns. SW19 5J 13
Kings Clo. Th Dit 3B 22
Kings Clo. W on T 5A 20
Kingscote Rd. W4 1A 6
Kingscote Rd. N Mald 7A 18
Kings Ct. W6 1D 6
Kingsdowne Rd. Surb 4F 23
Kings Dri. Surb 4H 23
Kings Dri. Tedd 2J 15
Kings Dri. Th Dit 4C 22
Kings Farm Av. Rich 1H 11
Kingsgate Bus. Cen. King T 2C 30
Kingsgate Rd. King T 5F 17 (2C 30)
Kingshill Av. Wor Pk 4D 24
Kings Keep. SW15 2G 13
Kings Keep. King T 1F 23
Kingslawn Clo. SW15 2E 12
Kingsley Ct. Wor Pk 6C 24
(off Avenue, The)
Kingsley Dri. Wor Pk 6C 24
Kingsley Mans. W14 3H 7
(off Greyhound Rd.)
Kings Mall. W6 1F 7
Kings Mead. Rich 3G 11
Kingsmead Av. Sun 6B 14
Kingsmead Av. Surb 6H 23
Kingsmead Av. Wor Pk 6E 24
Kingsmead Clo. Tedd 3C 16
Kings Mead Pk. Clay 4A 26
Kingsmere Clo. SW15 7G 7
Kingsmere Rd. SW19 6G 13
Kingsmill Bus. Pk. King T 7G 17
Kingsnympton Pk. King T 4J 17
King's Paddock. Hamp 5H 15
Kings Pas. King T 6E 16 (4B 30)
(KT1)
King's Pas. King T 5E 16 (1B 30)
(KT2)
King's Pl. W4 2K 5
Kings Ride Ga. Rich 1H 11
Kingsridge. SW19 6H 13
Kings Rd. SW14 7A 6
Kings Rd. SW19 3K 19
Kings Rd. Felt 5B 8
King's Rd. King T 5F 17 (1C 30)
Kings Rd. Rich 3G 11
King's Rd. Surb 5D 22
King's Rd. Tedd 2J 15
Kings Rd. Twic 3C 10
Kings Rd. W on T 6A 20
King's Ter. Iswth 1B 10
Kingston Av. Sutt 7H 25
Kingston Bri. King T 6E 16 (3A 30)
Kingston Bus. Cen. Chess 7F 23
Kingston By-Pass.
SW15 & SW20 1B 18
Kingston By-Pass. N Mald 2B 24
Kingston By-Pass. Surb 7E 22
Kingston By-Pass Rd.
Esh & Surb 6K 21
Kingston Clo. Tedd 3C 16
Kingston Hall Rd.
King T 7E 16 (5B 30)
Kingston Hill. King T 5H 17
Kingston Hill Pl. King T 1K 17
KINGSTON HOSPITAL 5J 17
Kingston Ho. King T 7B 30
Kingston Ho. Est. Surb 3C 22
Kingstonian F.C. 7H 17
Kingston La. Tedd 2B 16
Kingston Rd. SW15 & SW19 6D 12
Kingston Rd. SW20 & SW19 6G 19
Kingston Rd.
King T & N Mald 7J 17
Kingston Rd. Surb & Eps 6J 23
Kingston Rd. Tedd 2C 16
Kingston University 7F 17 (6D 30)
(Grange Rd.)
Kingston University 2A 18
(Kingston Hill)
Kingston University 1F 23 (7C 30)
(Penrhyn Rd.)
Kingston Upon Thames
6E 16 (4C 30)
Kingston upon Thames Crematorium.
King T 7H 17
Kingston upon Thames Library, Art Gallery and Mus.
6F 17 (4D 30)
Kingston Vale 1B 18
Kingston Va. SW15 1A 18
King St. W6 1D 6
King St. Rich 2E 10
King St. Twic 5B 10
King St. Cloisters. W6 1E 6
(off King St.)
King St. Pde. Twic 5B 10
(off King St.)
Kingsway. SW14 7J 5
Kingsway. N Mald 1F 25
Kingsway Bus. Pk. Hamp 5E 14
Kingswood Av. Hamp 3G 15
Kingswood Clo. N Mald 3C 24
Kingswood Clo. Surb 4F 23
Kingswood Rd. SW19 4J 19
Kingsworthy Clo. King T 7G 17
Kings Yd. SW15 7F 7
(off Lwr. Richmond Rd.)
Kingwood Rd. SW6 5H 7
Kinnaird Av. W4 4K 5
Kinnoul Rd. W6 3H 7
Kinross Av. Wor Pk 6D 24
Kinsella Gdns. SW19 2E 18
Kirby Way. W on T 3B 20
Kirkleas Rd. Surb 5F 23
Kirkley Rd. SW19 5K 19
Kirksted Rd. Mord 5K 25
Kirrane Clo. N Mald 2C 24
Kirton Clo. W4 1A 6
Kitson Rd. SW13 5D 6
Knaresborough Dri. SW18 5K 13
Knaresborough Pl. SW5 1K 7
Kneller Gdns. Iswth 3J 9
Kneller Rd. N Mald 4B 24
Kneller Rd. Twic 3H 9
Knights Ct. King T 7F 17 (5C 30)
Knight's Pk. King T 7F 17 (5D 30)
Knight's Pl. Twic 5K 9
Knightwood Cres. N Mald 3B 24
Knivet Rd. SW6 3K 7
Knollmead. Surb 5K 23
Knolls Clo. Wor Pk 7E 24
Knowle Rd. Twic 5K 9
Kramer M. SW5 2K 7
Kreisel Wlk. Rich 3G 5

L

Laburnum Cres. Sun 5A 14
Laburnum Gro. Houn 1E 8
Laburnum Gro. N Mald 6A 18
Lacey Dri. Hamp 5E 14
Lacy Rd. SW15 1G 13
(in two parts)
Ladderstile Ride. King T 2J 17
Lady Booth Rd.
King T 6F 17 (4C 30)
Lady Elizabeth Ho. SW14 7K 5
Lady Forsdyke Way. Eps 5H 27
Lady Harewood Way. Eps 5H 27
Lady Hay. Wor Pk 6C 24
Ladywood Rd. Surb 6H 23
Lafone Av. Felt 6B 8
Lainson St. SW18 4K 13
Lake Clo. SW19 2J 19
Lake Gdns. Rich 6C 10
Lake Rd. SW19 2J 19
Laker Pl. SW15 3H 13
Lalor St. SW6 6H 7
Lambert Av. Rich 7H 5
Lambert Lodge. Bren 2E 4
(off Layton Rd.)
Lamberts Rd. Surb 2F 23
Lambourne Av. SW19 1J 19
Lambourn Gro. King T 6J 17
Lambrook Ter. SW6 5H 7
Lambton Rd. SW20 5F 19
LAMDA Theatre 1K 7
(off Logan Pl.)
Lamington St. W6 1E 6
Lammas Rd. Rich 1D 16
Lampeter Sq. W6 3H 7
Lampton Ho. Clo. SW19 1G 19
Lampton Rd. Houn 1G 9
Lancaster Av. SW19 2G 19
Lancaster Clo. King T 2E 16
Lancaster Cotts. Rich 3F 11
Lancaster Ct. SW6 4J 7
Lancaster Ct. W on T 4A 20
Lancaster Gdns. SW19 2H 19
Lancaster Gdns. King T 2E 16
Lancaster M. Rich 3F 11
Lancaster Pk. Rich 2F 11
Lancaster Pl. SW19 2G 19
Lancaster Pl. Twic 3B 10
Lancaster Rd. SW19 2G 19
Land Clo. Asht 6F 29
Landford Rd. SW15 7F 7
Landgrove Rd. SW19 2K 19
Landmark Ho. W6 2F 7
(off Hammersmith Bri. Rd.)
Landridge Rd. SW6 6J 7
Landseer Rd. N Mald 4A 24
Lane End. SW15 3G 13
Lane End. Eps 3J 29
La. Jane Ct. King T 6G 17
(off London Rd.)
Laneway. SW15 2E 12
Lanfrey Pl. W14 2J 7
Langbourne Way. Clay 3B 26
Langdale Clo. SW14 1J 11
Langdon Pl. SW14 7K 5
Langham Gdns. Rich 1D 16
Langham Ho. Clo. Rich 1E 16
Langham Mans. SW5 2K 7
(off Earl's Ct. Sq.)
Langham Pl. W4 3B 6
Langham Rd. SW20 5F 19
Langham Rd. Tedd 2C 16
Langhorn Dri. Twic 4K 9
Langlands Ri. Eps 2K 29
Langley Av. Surb 5E 22
Langley Av. Wor Pk 5G 25
Langley Gro. N Mald 6B 18
Langley Rd. SW19 5J 19
Langley Rd. Iswth 6A 4
Langley Rd. Surb 4F 23
Langport Ct. W on T 5B 20
Langridge M. Hamp 3E 14
Langside Av. SW15 1D 12
Langthorne St. SW6 4G 7
Langton Pl. SW18 5K 13
Langton Rd. W Mol 1H 21
Langtry Pl. SW6 3K 7
Langwood Chase. Tedd 3D 16
Langwood Clo. Asht 6H 29
Lanigan Dri. Houn 2G 9
Lannoy Point. SW6 4H 7
(off Pellant Rd.)
Lansbury Av. Felt 3A 8
Lansdown Clo. W on T 5B 20
Lansdowne Clo. SW20 4G 19
Lansdowne Clo. Surb 6J 23
Lansdowne Clo. Twic 5A 10
Lansdowne Ct. Wor Pk 6D 24
Lansdowne Rd. SW20 4F 19
Lansdowne Rd. Eps 4K 27
Lantern Clo. SW15 1D 12
Lapwing Ct. Surb 7H 23
Lara Clo. Chess 4F 27
Larch Cres. Eps 3J 27
Larch Dri. W4 2H 5
Larches Av. SW14 1A 12
Largewood Av. Surb 6H 23
Larkfield Rd. Rich 1F 11
Larkspur Way. Eps 2K 27
Larnach Rd. W6 3G 7
Larpent Av. SW15 2F 13
Latchmere Clo. Rich 2F 17
Latchmere La. King T 3G 17
Latchmere Rd. King T 4F 17
Lateward Rd. Bren 3E 4
Latham Clo. Twic 4B 10
Latham Ct. SW5 1K 7
(off W. Cromwell Rd.)
Latham Rd. Twic 4A 10
Latimer Clo. Wor Pk 7E 24
Latimer Rd. Tedd 2A 16
Lattimer Pl. W4 4B 6
Latton Clo. Esh 7G 21
Latton Clo. W on T 4D 20
Latymer Ct. W6 1G 7
Lauderdale Dri. Rich 7E 10
Laundry Rd. W6 3H 7
Laurel Av. Twic 5A 10
Laurel Bank Gdns. SW6 6J 7
Laurel Gdns. Houn 1D 8
Laurel Rd. SW13 6D 6
Laurel Rd. SW20 5E 18
Laurel Rd. Hamp H 2J 15
Lauriston Rd. SW19 3G 19
Lavender Av. Wor Pk 7F 25
Lavender Ct. Felt 3A 8
Lavender Ct. W Mol 7G 15
Lavender Rd. Eps 2J 27
Lavenham Rd. SW18 6J 13
Laverstoke Gdns. SW15 4C 12
Lawford Rd. W4 4K 5
Lawley Ho. Twic 3E 10
Lawn Clo. N Mald 6B 18
Lawn Cres. Rich 6H 5
Lawns, The. SW19 2J 19
Lawrence Av. N Mald 3A 24
Lawrence Est. Houn 1B 8
Lawrence Pde. Iswth 7C 4
(off Lower Sq.)
Lawrence Rd. W5 1D 4
Lawrence Rd. Hamp 4E 14
Lawrence Rd. Houn 1B 8
Lawrence Rd. Rich 1D 16
Lawrence Weaver Clo. Mord 3K 25
Lawson Clo. SW19 7G 13
Lawson Ct. Surb 4E 22
Layton Ct. Bren 2E 4
Layton Pl. Kew 5H 5
Layton Rd. Bren 2E 4
Layton Rd. Houn 1G 9
Lea Clo. Twic 4E 8
Leaf Clo. Th Dit 2K 21
Leafield Rd. SW20 7J 19
Leafield Rd. Sutt 6K 25
Leamington Av. Mord 1H 25
Leamington Clo. Houn 2H 9
Leamore St. W6 1F 7
Leander Ct. Surb 4E 22
Leas Clo. Chess 4G 27
Leatherhead Common 7B 28
Leatherhead Rd. Asht 7F 29
Leatherhead Rd. Chess 3C 28
Lebanon Av. Felt 2C 14
Lebanon Gdns. SW18 3K 13
Lebanon Pk. Twic 4C 10

44 A-Z Richmond & Kingston

Lebanon Rd.—Manor Dri. N.

Lebanon Rd. SW18 2K 13
Leconfield Av. SW13 7C 6
Leeson Ho. Twic 4C 10
Leeward Gdns. SW19 2H 19
Legion Ct. Mord 3K 25
Leicester Ct. Twic 3E 10
(off Clevedon Rd.)
Leigham Dri. Iswth 4A 4
Leigh Clo. N Mald 1K 23
Leigh Clo. Ind. Est. N Mald 1A 24
Leigh Rd. Houn 1J 9
Leighton Mans. W14 3H 7
(off Greyhound Rd.)
Leinster Av. SW14 7K 5
Leisure West. Felt 6A 8
Lemon Gro. Felt 5A 8
Lena Gdns. W6 1F 7
Lenelby Rd. Surb 5H 23
Len Freeman Pl. SW6 3J 7
Lennox Ho. Twic 3E 10
(off Clevedon Rd.)
Lenton Ri. Rich 7F 5
Leo Ct. Bren 4E 4
Leopold Av. SW19 2J 19
Leopold Rd. SW19 1J 19
Leopold Ter. SW19 2J 19
Lerry Clo. W14 3J 7
Letterstone Rd. SW6 4J 7
Lettice St. SW6 5J 7
Levana Clo. SW19 5H 13
Lewesdon Clo. SW19 5G 13
Lewin Rd. SW14 7A 6
Lewins Rd. Eps 3J 29
Lewis Rd. Rich 2E 10
Lexham Gdns. W8 1K 7
Lexham M. W8 1K 7
Leyborne Pk. Rich 5H 5
Leyfield. Wor Pk 5B 24
Library Way. Twic 4H 9
Lichfield Ct. Rich 1F 11
Lichfield Ct. Surb 2F 23
(off Claremont Rd.)
Lichfield Gdns. Rich 1F 11
Lichfield Rd. Houn 1B 8
Lichfield Rd. Rich 5G 5
Lichfield Ter. Rich 2F 11
Lickey Ho. W14 3J 7
(off N. End Rd.)
Liffords Pl. SW13 6C 6
Lifford St. SW15 1G 13
Lightermans Wlk. SW18 1K 13
Lilac Ct. Tedd 1A 16
Lillian Rd. SW13 3D 6
Lillie Mans. SW6 3H 7
(off Lillie Rd.)
Lillie Rd. SW6 3H 7
Lillie Yd. SW6 3K 7
Lilliot's La. Lea 7B 28
Lily Clo. W14 1G 7
(in two parts)
Lilyville Rd. SW6 5J 7
Lime Cres. Sun 6B 14
Lime Gro. N Mald 7A 18
Lime Gro. Twic 3A 10
Lime Rd. Rich 1G 11
Limes Av. SW13 6C 6
Limes Fld. Rd. SW14 7B 6
Limes Gdns. SW18 3K 13
Limes, The. SW18 3K 13
Limes, The. E Mol 1G 21
Lime Tree Av. Esh 5J 21
Lime Tree Ct. Asht 7F 29
Limpsfield Av. SW19 6G 13
Linacre Ct. W6 2G 7
Lincoln Av. SW19 7G 13
Lincoln Av. Twic 6H 9
Lincoln Rd. Felt 7E 8
Lincoln Rd. N Mald 7K 17
Lincoln Rd. Wor Pk 5E 24
Linden Av. Houn 2G 9
Linden Clo. Th Dit 4A 22
Linden Cres. King T 6G 17
Linden Gdns. W4 2B 6
Linden Gro. N Mald 7B 18
Linden Gro. Tedd 2A 16
Linden Ho. Hamp 3F 15
Linden Rd. Hamp 4F 15
Lindens, The. W4 5K 5
Lindisfarne Rd. SW20 4D 18
Lindley Ct. King T 5D 16
Lindley Pl. Kew 5H 5
Lindley Rd. W on T 7C 20
Lindsay Clo. Chess 4F 27
Lindsay Clo. Eps 2K 29
Lindsay Rd. Hamp H 1G 15
Lindsay Rd. Wor Pk 6E 24
Lindsey Ho. W5 1E 4
Lindum Rd. Tedd 4D 16
Lingfield Av. King T 1F 23 (7D 30)
Lingfield Rd. SW19 2G 19
Lingfield Rd. Wor Pk 7F 25
Linkenholt Mans. W6 1C 6
(off Stamford Brook Av.)
Linkfield. W Mol 7G 15
Linkfield Rd. Iswth 6A 4
Links Av. Mord 1K 25
(in two parts)
Links Clo. Asht 6D 28
Linkside. N Mald 6B 18
Links Pl. Asht 6E 28
Links Rd. Asht 7D 28
Links, The. W on T 6A 20
Links Vw. Ct. Hamp 1J 15
Links Vw. Rd. Hamp H 2H 15
Link, The. Tedd 3A 16
Linkway. SW20 1E 24
Linkway. Rich 6C 10
Linslade Clo. Houn 2D 8
Linstead Way. SW18 4H 13
Lintaine Clo. W6 3H 7
Linver Rd. SW6 6K 7
Lion Av. Twic 5A 10
Lionel Mans. W14 1G 7
(off Haarlem Rd.)
Lionel Rd. N. Bren 1F 5
Lionel Rd. S. Bren 2G 5
Lion Ga. Gdns. Rich 7G 5
Lion Gate M. SW18 4K 13
Liongate M. E Mol 7A 16
Lion Pk. Av. Chess 1H 27
Lion Rd. Twic 5A 10
Lion Way. Bren 4E 4
Lion Wharf Rd. Iswth 7C 4
Lisbon Av. Twic 6H 9
Lisgar Ter. W14 1J 7
Lismore. SW19 2J 19
(off Woodside)
Lismore Clo. Iswth 6B 4
Listergate Ct. SW15 1F 13
Litchfield Av. Mord 4J 25
Littlecombe Clo. SW15 3G 13
Littlecote Clo. SW19 4H 13
Little Ealing 1E 4
Lit. Ealing La. W5 1D 4
Lit. Ferry Rd. Twic 5C 10
Littlefield Clo. King T 6F 17 (4D 30)
Littlefield Ho. King T 4C 30
Little Grn. Rich 1E 10
Lit. Park Dri. Felt 6D 8
Lit. Queen's Rd. Tedd 3A 16
Lit. St Leonard's. SW14 7K 5
Lit. Warkworth Ho. Iswth 6C 4
Littlewood Clo. W13 1C 4
Lit. Wood St. King T 6E 16 (3B 30)
Littleworth Comn. Rd. Esh 7J 21
Littleworth La. Esh 7J 21
Littleworth Pl. Esh 7J 21
Littleworth Rd. Esh 7K 21
Liverpool Rd. King T 4H 17
Livesey Clo. King T 7G 17 (5E 30)
Livingstone Mans. W14 3H 7
(off Queen's Club Gdns.)
Livingstone Rd. Houn 1H 9
Lloyd Rd. Wor Pk 7F 25
Lochaline St. W6 3F 7
Lockesley Sq. Surb 3E 22
Lock Rd. Rich 1D 16
Locksmeade Rd. Rich 1D 16
Lockwood Way. Chess 2H 27
Lockyer Ho. SW15 7G 7
Locomotive Dri. Felt 5A 8
Lodge Av. SW14 7B 6
Lodge Clo. Iswth 5C 4
Loft Ho. Pl. Chess 3D 26
Logan Clo. Houn 1E 8
Logan M. W8 1K 7
Logan Pl. W8 1K 7
London Broncos Rugby League Football Club 3E 4
(Brentford F.C.)
London Butterfly House 5C 4
London Rd. Ewe & Sutt 7F 25
London Rd. Iswth & Bren 6A 4
London Rd. Iswth & Twic 2B 10
London Rd. King T 6G 17 (3E 30)
(in two parts)
London Rd. Mord 2K 25
London Road Roundabout (Junct.) 3B 10
London Scottish R.U.F.C. 7E 4
London Stile. W4 2H 5
Long Ditton 5D 22
Longfellow Rd. Wor Pk 6D 24
Longfield Dri. SW14 2J 11
Longfield St. SW18 4K 13
Longford Clo. Hamp H 1F 15
Longford Clo. Hanw 7D 8
Longford Ct. Eps 1K 27
Longford Ho. Hamp 1F 15
Longford Rd. Twic 5F 9
Long Gro. Rd. Eps 6J 27
Long Lodge Dri. W on T 7B 20
Longmead Rd. Th Dit 4K 21
Longridge Rd. SW5 1K 7
Longs Ct. Rich 1G 11
Longshott Ct. SW5 1K 7
(off W. Cromwell Rd.)
Longstaff Cres. SW18 3K 13
Longstaff Rd. SW18 3K 13
Long Wlk. SW13 6B 6
Long Wlk. N Mald 7K 17
Longwater Ho. King T 6B 30
Longwood Dri. SW15 3D 12
Lonsdale Ct. Surb 4E 22
Lonsdale M. Rich 5H 5
Lonsdale Rd. SW13 5C 6
Lonsdale Rd. W4 1C 6
Loop Rd. Eps 5K 29
Loraine Gdns. Asht 6F 29
Loraine Rd. W4 3J 5
Lord Chancellor Wlk. King T 5K 17
Lordell Pl. SW19 3F 19
Lord Napier Pl. W6 2D 6
Lord Roberts M. SW6 4K 7
Lords Clo. Felt 6D 8
Loring Rd. Iswth 6A 4
Lorne Rd. Rich 2G 11
Louisa Ct. Twic 6K 9
Lovekyn Clo. King T 6F 17 (3E 30)
Lovelace Gdns. Surb 4E 22
Lovelace Rd. Surb 4D 22
Love La. Mord 4K 25
Love La. Surb 6D 22
Lovell Rd. Rich 7D 10
Lower Ashtead 7E 28
Lwr. Common S. SW15 7E 6
Lwr. Court Rd. Eps 7K 27
Lwr. Downs Rd. SW20 5G 19
Lwr. George St. Rich 2E 10
Lower Green 6G 21
Lwr. Green Gdns. Wor Pk 5D 24
Lwr. Green Rd. Esh 6G 21
Lwr. Grove Rd. Rich 3G 11
Lwr. Hampton Rd. Sun 7B 14
Lwr. Ham Rd. King T 2E 16 (1C 30)
Lwr. Hill Rd. Eps 1J 29
Lower Mall. W6 2E 6
Lwr. Marsh La. King T 1G 23 (7E 30)
(in two parts)
Lwr. Morden La. Mord 3F 25
Lwr. Mortlake Rd. Rich 1F 11
Lwr. Richmond Rd. SW15 7E 6
Lwr. Richmond Rd. Rich & SW14 7H 5
Lower Sq. Iswth 7C 4
Lwr. Sunbury Rd. Hamp 6E 14
Lwr. Teddington Rd. King T 5E 16
Lwr. Wood Rd. Clay 3C 26
Lowther Rd. SW13 5C 6
Lowther Rd. King T 5G 17
Loxley Rd. Hamp 1E 14
Lucien Rd. SW19 6K 13
Ludovick Wlk. SW15 1B 12
Lurgan Av. W6 3G 7
Lushington Ho. W on T 3B 20
Luther Rd. Tedd 2A 16
Luttrell Av. SW15 2E 12
Luxemburg Gdns. W6 1G 7
Lydney Clo. SW19 6H 13
Lygon Ho. SW6 5H 7
(off Fulham Pal. Rd.)
Lymescote Gdns. Sutt 6K 25
Lyncroft Gdns. Houn 2H 9
Lyndale. Th Dit 4K 21
Lynde Ho. W on T 3B 20
Lyndhurst Av. Surb 5J 23
Lyndhurst Av. Twic 5E 8
Lyndhurst Dri. N Mald 4B 24
Lynmouth Av. Mord 3G 25
Lynton Clo. Chess 1F 27
Lynton Clo. Iswth 1A 10
Lynton Rd. N Mald 2A 24
Lynwood Ct. King T 6J 17
Lynwood Dri. Wor Pk 6D 24
Lynwood Rd. Th Dit 6A 22
Lyon Rd. W on T 6D 20
Lyons Wlk. W14 1H 7
Lyric Rd. SW13 5C 6
Lyric Theatre 1F 7
Lysander Gdns. Surb 3G 23
Lysia Ct. SW6 4F 7
(off Lysia St.)
Lysia St. SW6 4G 7
Lysons Wlk. SW15 1D 12
Lytcott Dri. W Mol 7E 14
Lytton Gro. SW15 2G 13

M

Mablethorpe Rd. SW6 4H 7
Macaulay Av. Esh 6A 22
Macbeth St. W6 2E 6
McCarthy Rd. Felt 2C 14
McDonough Clo. Chess 1F 27
Macfarlane La. Iswth 3A 4
McKay Rd. SW20 4E 18
McKenzie Way. Eps 5H 27
Maclaren M. SW15 1F 13
Maclise Rd. W14 1H 7
Maddison Clo. Tedd 3A 16
Madrid Rd. SW13 5D 6
Mafeking Av. Bren 3F 5
Magdala Rd. Iswth 7B 4
Magistrates Court 6E 16 (4B 30)
Magnolia Clo. King T 3J 17
Magnolia Ct. Rich 5J 5
Magnolia Lodge. W8 1K 7
(off St Mary's Ga.)
Magnolia Rd. W4 3J 5
Magnolia Way. Eps 2K 27
Maguire Dri. Rich 1D 16
Maidenshaw Rd. Eps 1K 29
Maids of Honour Row. Rich 2E 10
Main St. Felt 2C 14
Maitland Clo. W on T 6D 20
Malbrook Rd. SW15 1E 12
Malcolm Dri. Surb 5E 22
Malcolm Rd. SW19 3H 19
Malden Ct. N Mald 7E 18
Malden Green 5D 24
Malden Grn. Av. Wor Pk 5C 24
Malden Hill. N Mald 7C 18
Malden Hill Gdns. N Mald 7C 18
Malden Junction. (Junct.) 2B 24
Malden Pk. N Mald 3C 24
Malden Rd. N Mald 2B 24
Malden Rd. Sutt 7F 25
Malden Rushett 7D 26
Malden Way. N Mald 3A 24
Mallard Clo. Twic 4F 9
Mallard Pl. Twic 7B 10
Mall Rd. W6 2E 6
Mall, The. SW14 2K 11
Mall, The. Bren 3E 4
Mall, The. Surb 2E 22
Maltby Rd. Chess 3H 27
Malthouse Dri. W4 3C 6
Malthouse Dri. Felt 2C 14
Malthouse Pas. SW13 6C 6
(off Maltings Clo.)
Maltings. W4 2H 5
Maltings Clo. SW13 6C 6
Maltings Lodge. W4 3B 6
(off Corney Reach Way)
Malting Way. Iswth 7A 4
Malvern Clo. Surb 5F 23
Malvern Dri. Felt 2C 14
Malvern Rd. Hamp 4F 15
Malvern Rd. Surb 6F 23
Manbre Rd. W6 3F 7
Mandeville Clo. SW20 4H 19
Mandeville Dri. Surb 5E 22
Mandeville Rd. Iswth 6B 4
Manfred Rd. SW15 2J 13
Manning Pl. Rich 3G 11
Manningtree Clo. SW19 5H 13
Mann's Clo. Iswth 2A 10
Manny Shinwell Ho. SW6 3J 7
(off Clem Attlee Ct.)
Manoel Rd. Twic 7H 9
Manor Circus (Junct.) 7G 5
Manor Clo. Wor Pk 5B 24
Manor Ct. W3 1H 5
Manor Ct. King T 5H 17
Manor Ct. Twic 6H 9
Manor Ct. W Mol 1F 21
Manor Cres. Eps 1H 29
Manor Cres. Surb 3H 23
Manordene Clo. Th Dit 5B 22
Manor Dri. Esh 6A 22
Manor Dri. Felt 2C 14
Manor Dri. Surb 3G 23
Manor Dri. N. N Mald & Wor Pk 4A 24

A-Z Richmond & Kingston 45

Manor Dri., The. *Wor Pk* 5B **24**
Mnr. Farm Clo. *Wor Pk* 5B **24**
Manor Fields. *SW15* 3G **13**
Manor Gdns. *SW20* 6J **19**
Manor Gdns. *W3* 1H **5**
Manor Gdns. *W4* 2B **6**
Manor Gdns. *Hamp* 4G **15**
Manor Gdns. *Rich* 1G **11**
Manorgate Rd. *King T* 5H **17**
Mnr. Green Rd. *Eps* 2J **29**
Manor Gro. *Rich* 1H **11**
Manor Ho. Ct. *Eps* 2K **29**
Manor Ho. Way. *Iswth* 7C **4**
Manor La. *Felt* 6A **8**
Manor La. *Sun* 6A **14**
Manor Pk. *Rich* 1G **11**
Manor Pl. *Felt* 5A **8**
Manor Rd. *SW20* 6J **19**
Manor Rd. *E Mol* 1J **21**
Manor Rd. *Rich* 1H **11**
Manor Rd. *Tedd* 2B **16**
(in two parts)
Manor Rd. *Twic* 6H **9**
Manor Rd. N. *Esh* 7A **22**
Manor Rd. S. *Esh* . . . . . .7K **21** & 1A **26**
Manor Va. *Bren* 2D **4**
Manor Way. *Wor Pk* 5B **24**
Mansel Rd. *SW19* 3H **19**
Mansfield Rd. *Chess* 2D **26**
Mansions, The. *SW5* 2K **7**
Manston Gro. *King T* 2E **16**
Manston Ho. *W14* 1H **7**
(off Russell Rd.)
Maple Clo. *Hamp* 3D **14**
Maple Ct. *N Mald* 7A **18**
Maple Gro. *Bren* 4C **4**
Maple Gro. Bus. Cen. *Houn* 1B **8**
Maple Ho. *King T* 2F **23**
(off Maple Rd.)
Maplehurst Clo.
 King T 1F **23** (7C **30**)
Maple Ind. Est. *Felt* 7A **8**
Maple Rd. *Asht* 7E **28**
Maple Rd. *Surb* 3E **22**
Maples, The. *Clay* 4B **26**
Maples, The. *King T* 4D **16**
Mapleton Cres. *SW18* 3K **13**
Mapleton Rd. *SW18* 3K **13**
(in two parts)
Maple Way. *Felt* 7A **8**
Marble Hill Clo. *Twic* 4C **10**
Marble Hill Gdns. *Twic* 4C **10**
Marble Hill House. 4D **10**
Marchbank Rd. *W14* 3J **7**
March Ct. *SW15* 1E **12**
Marchmont Rd. *Rich* 2G **11**
March Rd. *Twic* 4B **10**
Marco Rd. *W6* 1F **7**
Margaret Herbison Ho. *SW6* 3J **7**
(off Clem Attlee Ct.)
Margaret Ho. W6 . . . . .2F **7**
(off Queen Caroline St.)
Margaret Ingram Clo. SW6 . . . . .3J **7**
(off Rylston Rd.)
Margaret Lockwood Clo.
 King T 1G **23**
Margin Dri. *SW19* 2G **19**
Margravine Gdns. *W6* 2G **7**
Margravine Rd. *W6* 2G **7**
Maria Theresa Clo.
 N Mald 2A **24**
Marina Av. *N Mald* 2E **24**
Marina Way. *Tedd* 4E **16**
Mariner Gdns. *Rich* 7D **10**
Market Pde. *Felt* 7D **8**
Market Pl. *Bren* 4D **4**
Market Pl. *King T* 6E **16** (3B **30**)
Market Rd. *Rich* 7H **5**
Market Ter. Bren 3F **5**
(off Albany Rd.)
Markhole Clo. *Hamp* 4E **14**
Marksbury Av. *Rich* 7H **5**
Markway. *Sun* 6B **14**
Marlborough Clo. *W on T* 7C **20**
Marlborough Ct. W8 . . . . .1K **7**
(off Pembroke Rd.)
Marlborough Cres. *W4* 1A **6**
Marlborough Gdns. *Surb* 4E **22**
Marlborough Rd. *W4* 2K **5**
Marlborough Rd. *Felt* 6C **8**
Marlborough Rd. *Hamp* 3F **15**
Marlborough Rd. *Iswth* 5C **4**
Marlborough Rd. *Rich* 3G **11**
Marlborough Rd. *Sutt* 7K **25**
Marld, The. *Asht* 7G **29**
Marlfield Clo. *Wor Pk* 5D **24**
Marlingdene Clo. *Hamp* 3F **15**

Marloes Rd. *W8* 1K **7**
Marlow Cres. *Twic* 3A **10**
Marlow Dri. *Sutt* 6G **25**
Marlowe Ho. *King T* 7B **30**
Marlow Ho. Surb 2F **23**
(off Cranes Pk.)
Marlow Ho. *Tedd* 1B **16**
Marnell Way. *Houn* 1C **8**
Marneys Clo. *Eps* 4H **29**
Marquis Ct. *King T* 7B **30**
Marrick Clo. *SW15* 1D **12**
Marryat Clo. *Houn* 1E **8**
Marryat Pl. *SW19* 1H **19**
Marryat Rd. *SW19* 2G **19**
Marryat Sq. *SW6* 5H **7**
Marshall Clo. *Houn* 2E **8**
Marshalls Clo. *Eps* 2K **29**
Marsh Farm Rd. *Twic* 5A **10**
Marston. *Eps* 7K **27**
Marston Av. *Chess* 3F **27**
Marston Ct. *W on T* 5B **20**
Marston Rd. *Tedd* 2C **16**
Martindale. *SW14* 2K **11**
Martindale Rd. *Houn* 1D **8**
Martingales Clo. *Rich* 7E **10**
Martin Gro. *Mord* 7K **19**
Martin Way. *SW20 & Mord* 6G **19**
Marville Rd. *SW6* 4J **7**
Mary Adelaide Clo. *SW15* 1B **18**
Mary Ho. W6 . . . . .2F **7**
(off Queen Caroline St.)
Maryland Way. *Sun* 6A **14**
Mary Macarthur Ho. *W6* 3H **7**
Mary Rose Clo. *Hamp* 5F **15**
Mary Smith Ct. SW5 . . . . .1K **7**
(off Trebovir Rd.)
Mary's Ter. Twic 3H **9**
(in two parts)
Marzena Ct. *Houn* 3H **9**
Masault Ct. Rich 1F **11**
(off Kew Foot Rd.)
Masbro' Rd. *W14* 1G **7**
Mascotte Rd. *SW15* 1G **13**
Masefield Clo. *Surb* 4E **22**
Masefield Rd. *Hamp* 1E **14**
Mason Clo. *Hamp* 5E **14**
Mason's Yd. *SW19* 2G **19**
Maswell Park. 2H **9**
Maswell Pk. Cres. *Houn* 2H **9**
Maswell Pk. Rd. *Houn* 2G **9**
Matcham Ct. Twic 3E **10**
(off Clevedon Rd.)
Matham Rd. *E Mol* 2J **21**
Matheson Rd. *W14* 1J **7**
Mathias Clo. *Eps* 2K **29**
Matlock Cres. *Sutt* 7H **25**
Matlock Way. *N Mald* 5A **18**
Maton Ho. SW6 . . . . .4J **7**
(off Estcourt Rd.)
Maudsley Ho. *Bren* 2F **5**
Maurice Ct. *Bren* 4E **4**
Mauveine Gdns. *Houn* 1F **9**
Mawson Clo. *SW20* 6H **19**
Mawson La. *W4* 3C **6**
May Bate Av.
 King T 5E **16** (1B **30**)
Mayberry Pl. *Surb* 4G **23**
May Clo. *Chess* 3G **27**
Maycross Av. *Mord* 1J **25**
Mayfair Av. *Twic* 4H **9**
Mayfair Av. *Wor Pk* 5D **24**
Mayfair Clo. *Surb* 5F **23**
Mayfield Av. *W4* 1B **6**
Mayfield Clo. *Th Dit* 5C **22**
Mayfield Rd. *SW19* 5J **19**
Mayfield Rd. *W on T* 7A **20**
Mayo Ct. *W13* 1C **4**
May Rd. *Twic* 5K **9**
Mayroyd Av. *Surb* 6H **23**
Mays Rd. *Tedd* 2J **15**
May St. *W14* 2J **7**
Maze Rd. *Rich* 4H **5**
Meade Clo. *W4* 3H **5**
Mead End. *Asht* 6G **29**
Meadlands Dri. *Rich* 6E **10**
Meadowbank. *Surb* 3G **23**
Meadowbank Clo. *SW6* 4F **7**
Meadowbrook Ct. *Iswth* 7A **4**
Meadow Clo. *SW20* 1F **25**
Meadow Clo. *Esh* 7A **22**
Meadow Clo. *Houn* 3F **9**
Meadow Clo. *Rich* 5F **11**
Meadow Ct. *Eps* 2K **29**
Meadow Ct. *Houn* 3G **9**
Meadowcroft. W4 . . . . .2H **5**
(off Brooks Rd.)

Meadow Ga. Asht 6F **29**
(off Meadow Rd.)
Meadow Hill. *N Mald* 3B **24**
Meadow Pl. *W4* 4B **6**
Meadow Rd. *Asht* 6F **29**
Meadow Rd. *Clay* 3A **26**
Meadow Rd. *Felt* 6D **8**
Meadowside. *Twic* 4E **10**
Meadowside. *W on T* 6B **20**
Meadowsweet Clo. *SW20* 1F **25**
Meadow Way. *Chess* 2F **27**
Mead Rd. *Rich* 7D **10**
Mead Rd. *W on T* 7D **20**
Meads, The. *Sutt* 7H **25**
Mead, The. *Asht* 7F **29**
Mead Way. *SW20* 1F **25**
Medcroft Gdns. *SW14* 1K **11**
Medfield St. *SW15* 4D **12**
Medina Av. *Esh* 7K **21**
Medina Sq. *Eps* 5F **27**
Medway Ho. *King T* 5E **16** (1B **30**)
Melancholy Wlk. *Rich* 6D **10**
Melbourne Mans. W14 . . . . .3H **7**
(off Musard Rd.)
Melbourne Rd. *SW19* 5K **19**
Melbourne Rd. *Tedd* 3D **16**
Melbourne Ter. SW6 . . . . .4K **7**
(off Moore Pk. Rd.)
Melbray M. *SW6* 6J **7**
Melbury Clo. *Clay* 3C **26**
Melbury Gdns. *SW20* 5E **18**
Meldone Clo. *Surb* 4J **23**
Melford Clo. *Chess* 2G **27**
Melina Ct. *SW15* 7D **6**
Mellor Clo. *W on T* 4E **20**
Melrose Av. *SW19* 6J **13**
Melrose Av. *Twic* 4G **9**
Melrose Gdns. *N Mald* 7A **18**
Melrose Rd. *SW13* 6C **6**
Melrose Rd. *SW18* 3J **13**
Melrose Rd. *SW19* 6K **19**
Melville Av. *SW20* 4E **18**
Melville Rd. *SW13* 5D **6**
Mendip Clo. *SW19* 6H **13**
Mendip Clo. *Wor Pk* 5F **25**
Mendora Rd. *SW6* 4H **7**
Mercers Pl. *W6* 1G **7**
Mercer Rd. *Th Dit* 4B **22**
Mercier Rd. *SW15* 2H **13**
Mercury Cen. *Felt* 2A **8**
Mercury Ho. Bren 3D **4**
(off Glenhurst Rd.)
Mercury Rd. *Bren* 3D **4**
Mere Clo. *SW15* 4G **13**
Meredyth Rd. *SW13* 6D **6**
Mereway Rd. *Twic* 5J **9**
Merivale Rd. *SW15* 1H **13**
Merling Clo. *Chess* 2D **26**
Merrilands Rd. *Wor Pk* 5D **24**
Merrilyn Clo. *Clay* 3B **26**
Merrington Rd. *SW6* 3K **7**
Merritt Gdns. *Chess* 3D **26**
Merryweather Ct. *N Mald* 2B **24**
Mersey Ct. *King T* 5E **16** (1B **30**)
Merthyr Ter. *SW13* 3E **6**
Merton Av. *W4* 1C **6**
Merton Hall Gdns. *SW20* 5H **19**
Merton Hall Rd. *SW19* 4H **19**
Merton Mans. *SW20* 6G **19**
Merton Park. 6K **19**
Merton Pk. Pde. *SW19* 5J **19**
Merton Rd. *SW18* 3K **13**
Merton Rd. *SW19* 7B **28**
Merton Wlk. *Lea* 7B **28**
Merton Way. *Lea* 7B **28**
Merton Way. *W Mol* 1G **21**
Metcalf Wlk. *Felt* 1D **14**
Metro Ind. Cen. *Iswth* 6A **4**
Mews, The. *Twic* 3C **10**
Mexfield Rd. *SW15* 2J **13**
Michaelmas Clo. *SW20* 7F **19**
Michael Stewart Ho. SW6 . . . . . . .3J **7**
(off Clem Attlee Ct.)
Micheldever Dri. *Rich* 1F **11**
Michel's Row. Rich 1F **11**
(off Michelsdale Dri.)
Micklethwaite Rd. *SW6* 3K **7**
Midas Metropolitan Ind. Est.
 Mord 4F **25**
Middle Grn. Clo. *Surb* 3G **23**
Middle La. *Tedd* 3A **16**
Middle Mill Hall.
 King T 7G **17** (6D **30**)

Middlesex Ct. *W4* 2C **6**
Middleton Rd. *Eps* 6K **27**
Middleton Rd. *Mord* 3K **25**
Middleton Rd. *N Mald* 7K **17**
Midmoor Rd. *SW19* 5G **19**
Midsummer Av. *Houn* 1E **8**
Midway. *Sutt* 4J **25**
Midway. *W on T* 6A **20**
Miena Way. *Asht* 5G **29**
Miles Pl. *Surb* 1G **23** (7E **30**)
Milestone Green. (Junct.) 1A **12**
Milestone Ho. *King T* 6B **30**
Millais Rd. *N Mald* 4B **24**
Millais Way. *Eps* 1K **27**
Millbourne Rd. *Felt* 1D **14**
Miller's Ct. *W4* 2C **6**
Mill Farm Bus. Pk. *Houn* 4D **8**
Mill Farm Cres. *Houn* 5D **8**
Millfield. *King T* 7G **17** (5E **30**)
Millfield Rd. *Houn* 5D **8**
Mill Hill. *SW13* 6D **6**
Mill Hill Rd. *SW13* 6D **6**
Millmead. *Esh* 6F **21**
Mill Pl. *King T* 7G **17** (5D **30**)
Mill Plat. *Iswth* 6B **4**
(in two parts)
Mill Plat Av. *Iswth* 6B **4**
Mill Rd. *Esh* 6F **21**
Mill Rd. *Twic* 6H **9**
Millshot Clo. *SW6* 5F **7**
Millside Pl. *Iswth* 6C **4**
Mills Row. *W4* 1A **6**
Mill St. *King T* 7F **17** (5D **30**)
Mill Way. *Felt* 2A **8**
Millwood Rd. *Houn* 2H **9**
Milner Dri. *Twic* 4J **9**
Milner Rd. *SW19* 5K **19**
Milner Rd. *King T* 7E **16** (6B **30**)
Milnthorpe Rd. *W4* 3A **6**
Milton Ct. *SW18* 2K **13**
Milton Ct. *Twic* 7K **9**
Milton Ho. *Sutt* 7K **25**
Milton Lodge. *Twic* 4A **10**
Milton Mans. W14 . . . . .3H **7**
(off Queen's Club Gdns.)
Milton Rd. *SW14* 7A **6**
Milton Rd. *Hamp* 4F **15**
Milton Rd. *Sutt* 7K **25**
Milton Rd. *W on T* 7C **20**
Mimosa St. *SW6* 5J **7**
Mina Rd. *SW19* 5K **19**
Minden Rd. *Sutt* 6J **25**
Minerva Rd. *King T* 6G **17** (3E **30**)
Minimax Clo. *Felt* 3A **8**
Minniedale. *Surb* 2G **23**
Minstead Gdns. *SW15* 4C **12**
Minstead Way. *N Mald* 3B **24**
Minster Av. *Sutt* 6K **25**
Minster Gdns. *W Mol* 1E **20**
Minstrel Gdns. *Surb* 1G **23**
Mirabel Rd. *SW6* 4J **7**
Mission Sq. *Bren* 3F **5**
Misty's Fld. *W on T* 5B **20**
Mitford Clo. *Chess* 3D **26**
Moat Ct. *Asht* 6F **29**
Moat Side. *Felt* 1B **14**
Moat, The. *N Mald* 5B **18**
Modder Pl. *SW15* 1G **13**
Model Cotts. *SW14* 1K **11**
Moffat Ct. *SW19* 2K **19**
Mogden La. *Iswth* 2A **10**
Mole Abbey Gdns. *W Mol* 7G **15**
Mole Ct. *Eps* 1K **27**
Molember Ct. *E Mol* 1K **21**
Molember Rd. *E Mol* 2K **21**
Molesey Av. *W Mol* 2E **20**
Molesey Clo. *W on T* 7D **20**
Molesey Dri. *Sutt* 6H **25**
MOLESEY HOSPITAL. 2F **21**
Molesey Pk. Av. *W Mol* 2G **21**
Molesey Pk. Clo. *E Mol* 2H **21**
Molesey Pk. Rd. *W Mol* 2G **21**
Molesey Rd.
 W on T & W Mol 7C **20**
Molesford Rd. *SW6* 5K **7**
Molesham Clo. *W Mol* 7G **15**
Molesham Way. *W Mol* 7G **15**
Monaveen Gdns. *W Mol* 7G **15**
Moncks Row. *SW18* 3J **13**
Mongomery Ct. *W4* 4K **5**
Monkleigh Rd. *Mord* 7H **19**
Monks Av. *W Mol* 2E **20**
Monks Cres. *W on T* 5A **20**
Monmouth Av.
 King T 4D **16** (1A **30**)
Monmouth Clo. *W4* 1K **5**
Monmouth Gro. *W5* 1F **5**